# 「自分らしさ」と日本語

中村桃子 Nakamura Momoko



★——ちくまプリマー新書
374

# はじめに

「今、何時？」

と聞かれて、いろんな答え方がある。

「八時」

「八時です」

「八時だ」

普段、何気なく答えているけれど、三つの答え方には、どんな違いがあるのだろう。

もちろん、どんな状況で聞かれているか、聞いた人と答えている人はどんな間柄かでも、そのニュアンスは異なるが、あえて、違いを表してみると、「八時」だと、ざっくばらんな親しい関係。「八時です」だと、ていねいだけど、少し距離のある関係。「八時だ」だと、上から目線の関係が表現されているとでも書き表せる。

これらの答えは、「今は八時だ」という内容はみんな同じだが、表現している相手との「関係」が違う。関係が違うということは、相手に対して表現している自分のアイデンティティも違うということだ。なぜならば、アイデンティティは、相手との関係の中で表現されるものだからだ。

だから、ザ・ドリフターズのテレビ番組の題名は、『8時だョ！ 全員集合』であって、『8時です！ 全員集合』では、学校の先生みたいで、ちっとも親しさが表現できない。サザンオールスターズの「勝手にシンドバッド」の歌詞は、「今、何時？」のあとに、「そうね、だいたいねー」と来ることで、親しいだけでなく、その次が聞きたくなる関係が浮かぶ。

つまり、「ことば」には、内容を表現するだけではなく、話している人同士の関係を作り上げて、各々の話し手のアイデンティティを表現する働きもあるのだ。

本書では、このように「ことば」を使って人と関わり合う中で表現される「アイデンティティ」について考える。

実は、右に挙げた、「八時」と「八時です」のどちらで答えるかなどという問題については、若い読者のみなさんの方がよっぽどセンスがある。その証拠に、毎日立派に

（ときには、うまくいかないこともあるけれど）、「ことば」を使って人と関わり合っているではないですか。

だから、本書の役割は、読者のみなさんが無意識にやっている「ことばでアイデンティティを表現する」という身近な行為が、どういうメカニズムで成り立っているのかを説明することにある。「自分がやっていたことは、こういうことだったのか－」と感じていただければ、うれしい限りだ。

## 社会とことばの関係を考える学問

「ことばとアイデンティティの関係」は、さまざまな分野で研究されているが、本書は、「社会言語学」という分野から、この関係を考える。

言語学は、主に三つのことを調べる。ひとつは、いろいろな言語に含まれる音を調べる音韻論。二つ目は、ことばのつながり方である文法を調べる統語論。そして、三つ目が、ことばの意味を調べる意味論だ。

社会言語学は、言語学が調べてくれた、ことばの音や文法、意味についての知識を使って、こんどは、もう少し大きな、社会とことばの関係を調べる。

社会とことばの関係は、さまざまにとらえることができるが、本書では、大きく二つの方向から考える。ひとつは、社会が変わることでことばがどのように変わるのかという方向。もうひとつは、ことばが変わることで社会がどのように変わるのかという方向だ。どちらも、「変化」に注目している。

社会言語学が扱う社会とことばの関係には、いろいろなものが含まれる。その中でも、本書では「ことばとアイデンティティ」の関係に焦点を当てている。

私たちがアイデンティティを表現する方法が変わることで、ことばにどのような変化が起こっているのか。そして、ことばの使い方が変わることで、私たちのアイデンティティ表現にはどのような変化が起こっているのかを考えていく。

具体的には、次のような内容を一緒に見ていきたい。

第一に、「ことば」を、情報を伝える道具として見るだけでなく、アイデンティティを表現するための材料としても見る視点を紹介したい。そのためには、「八時です」や「八時だ」の「八時」の部分ではなく、「です」や「だ」に注目する必要がある。

第二に、私たちは、たくさんあることばから、その場に一番しっくりくることばを「選択」することで自分を表現する。「今、何時?」という質問の答えに、「八時」「八時です」「八時だ」などたくさんあるのは、このような選択ができるようにするためなのだ。

第三に、しかし、この「選択」はまったく自由というわけではなく、さまざまな「制限」もある。そして、この「制限」を辿《たど》っていくと、「常識」という形の社会の力関係が関わっていることが多い。目上の人に、「八時です」とは答えられるが、「八時だ」とは言いにくいことが多いのではないだろうか。

第四に、それでも私たちは、これらの「制限」を乗り越えて、しっくりくる「自分」を表現しようと工夫し続けている。目上の人に、「八時です」と答えているばかりでは、壁があるように感じられてしまう場合には、「八時っす」などと、答えてみたりする。もちろん、新しいことばの使い方にはさまざまな抵抗が観察される。本書では、それらの抵抗にも言及していく。

そして、最後に、そんな工夫は、新しいことばの使い方を生み出しているだけでなく、社会の人間関係も変革していく可能性を持っている。

つまり、ことばとアイデンティティの関係について考えることは、社会で起こっている人間関係の変化について気付かせてくれるだけでなく、その変化の中で、私たち自身が使っている言葉づかいがどのような役割を果たしているのかも明らかにしてくれるのだ。

特に、若い読者のみなさんは、先進的なことばの使い方をする機会が多い。新しいことばを使うのは、はやっているから、あるいは、周りの友人が使っているからと思っている人もいるかもしれない。

しかし、本書を読むことで、みなさんが新しいことばを使う背景にある社会の変化や、みなさんが使うことばが社会を変えていることに気づくだろう。

同時に本書は、「元・若者」の読者のみなさんにも、新しい気付きをもたらせるのではないかと思う。元・若者のみなさんは、人の言葉づかいが気になったことがあるだろう。なぜ、気になるのか。

本書を読むことで、自分にとっては当たり前の正しい言葉づかいがどんな常識を支えているのか、若い人は新しい言葉づかいによってどんなアイデンティティを表現しているのか、さらに、言葉づかいの変化はどんな社会変化を起こしているのかを考える機会にしていただけたらと思う。

このように本書では、アイデンティティを表現する材料としてのことばの大切さを指摘すると同時に、それでも、ことばでアイデンティティを表現するには制限があること。それにもかかわらず、私たちは、ことばを工夫して使うことで、何とか表現したいアイデンティティを創造しようとしていることを明らかにしていく。制限があるからこそ創造が生まれるのだ。

**本書の構成**

第1章では、ことばをアイデンティティ表現の材料とみなすとは、どのようなことなのか、そして、ことばでアイデンティティを表現する方法には、さまざまなケースがあることを見ていく。また、近年、同じ人が複数のアイデンティティを表現するようになった状況も確認する。

第2章では、アイデンティティを示すことばの代表として、名前に対する私たちの意識を見ていく。また、名前に関する制限の例として、夫婦同姓をとりあげる。さらに、一般の人がハンドルネームなどたくさんの名前を使い分けている現状も見る。

第3章では、「わたし・あなた」「ぼく・きみ」などの人称詞（人を指すことば）をとりあげ、人称詞が性別で分けられている問題を見ていく。また、なぜ小中学生の女子が「うち・ぼく・おれ」を使うのか、少女のアイデンティティ創造の観点から読み解いている。さらに、会社の「さんづけ運動」など、人称詞を変えることで人間関係を変えようとするさまざまな試みがあることも指摘している。

第4章では、ことばは、どのようにしてアイデンティティと結び付くのか、社会言語学の考え方をまとめている。そこで明らかになるのは、「ことば」は使うだけではアイデンティティの材料にならないという事実だ。「ことば」がアイデンティティの材料になるためには、その社会で広く信じられている「ことば」の使い方に対する考え方や、その社会で、どのグループを区別する必要があると考えられているかなど、社会の区別や差別を支えるイデオロギー（社会に広く認められている考え方）が密接に関わっている。

第5章では、「○○ことば」の最初の例として敬語を取り上げる。まず、近年、敬語に対する意識が「敬語は正しく使わなければならない」という考え方から、「敬語ばかりでは親しさが感じられない」という考え方に変化していることを見る。そして、この変化を受けて登場した、「そうっすね」という言いまわしや「ため口キャラ」について考える。

第6章では、方言を取り上げる。まず、「方言」は、地域の人が話しているから成立したのではなく、「国語」との関係で誕生したことを確認する。また、アイデンティティ表現に使われる方言に関して、なぜ、「もうかりまっか」と言うだけで〈大阪商人〉を想起させることができるのか、なぜ、南北戦争時代のアメリカの黒人奴隷のセリフは東北弁に翻訳されるのかなどの疑問を考える。

第7章では、「女ことば」を取り上げ、「女ことば」は、女性が話している言葉づかいではなく、〈女らしさ〉をことばの側面から女性に押し付けてきた概念であることを確認する。続いて、なぜ、『ハリー・ポッター』シリーズに登場するハーマイオニーは、その翻訳版において同年代の日本人が使わないような「女ことば」で話すのか、なぜ、女性は発言内容よりも話し方で評価されるのか。さらに、マンガに登場する女性が攻撃的な発言をするときに「女ことば」を使うことで、「女ことば」にどのような変化が起きているのか。オネエタレントが使う「オネエことば」の魅力や、なぜ「オニイことば」はないのかなどの疑問を取り上げている。

本書で取り上げている内容は、社会言語学が扱っている現象の一部であるが、本書をきっかけに社会言語学に興味を持つ読者が増えてくれれば、これほどうれしいことはない。

なお、本書には、旧仮名づかいから引用したものが含まれているが、それらの中には、現代仮名づかいに変え、現代語に訳したものもある。

目次 * Contents

図版制作（133頁）　細田咲恵

# 第1章

# アイデンティティ表現の材料としての「ことば」

## 1　人との関係から立ち現れるアイデンティティ

「アイデンティティ」とは何なのか。その定義は分野によって違う。しいて言えば、「私という人間」とでも表すことができる。「私がどんな人なのかというイメージ」のようなものだ。「はじめに」で見たように、「私」だけでなく、話している相手や会話で話題になっている人の人物像を指す場合もある。

そんな、あいまいな概念だが、社会言語学では、アイデンティティを以下の四つの特徴から考える。

1　アイデンティティは人と関わり合う中から立ち現れてくるもので、私たちは、すでにあるアイデンティティにもとづいて人との関わり方を決めているのではない。だから、人と関わるときに大きな役割を果たす「ことば」は、重要だ。

2　アイデンティティには、大きく三つの側面がある。

3　アイデンティティを表現するのに利用できる「ことば」には、いくつかの種類がある。

4　アイデンティティは、さまざまな方法で表現されるので、いつ表現されたアイデンティティも、その人のすべてを表しているのではなく、いつも部分的になる。

以下で、ひとつずつ見ていこう。

## 2　「本質主義」と「構築主義」

最初の、「アイデンティティは人と関わり合う中から立ち現れてくるもので、私たちは、すでにあるアイデンティティにもとづいて人との関わり方を決めているのではない」という考え方は、ことばとアイデンティティの関係から理解すると分かりやすい。

これまで、ことばとアイデンティティの関係は、あらかじめ話し手には自分のアイデンティティがあって、そのアイデンティティが言葉づかいにも自然にあらわれると理解されていた。謙虚な人はていねいな言葉づかいをし、傲慢な人はおうへいな言葉づかいをする。ある人がていねいな言葉づかいをするのは、その人が謙虚な人だからだと考えられた。つまり、「私たちは、すでにあるアイデンティティにもとづいて人との関わり方を決めている」と考えられていたのだ。

このように、アイデンティティをその人にあらかじめ備わっている属性のようにとらえて、人はそれぞれの属性にもとづいてコミュニケーションをするという考え方を「本質主義」と呼ぶ。

たとえば、アイデンティティのうちで「ジェンダー」（女らしさや男らしさ）に関わる側面を本質主義にもとづいて表現すると、人は〈女らしさ〉や〈男らしさ〉を「持っていて」、その〈女らしさ〉や〈男らしさ〉にもとづいて、ことばを使うと理解される。ある人が女らしい言葉づかいをするのは、その人が女らしいからで、男らしい言葉づかいをするのは、その人が男らしいからだと言われた（ちなみに、本書では、「性別」ではなく「ジェンダー」を用いる。性別とは生物学的な性の違いを指し、ジェンダーは、社会文化的な女らしさや男らしさを指す）。

しかし、このような考え方では説明のつかないことがたくさん出てきてしまった。もっとも大きな問題は、私たちはだれでも、それぞれの状況に応じてさまざまに異なる言葉づかいをしていることがはっきりしてきた点である。同じ人でも、家庭での言葉づかいと学校での言葉づかいは異なる。同じ学校で話していても、話す相手や、場所、目的によって異なる。さらに、同じ人でも子どもの時と大人になってからでは言葉づかいが変わる。同じ〈男らしさ〉を持っている人でも、その言葉づかいはそれぞれに異なる。むしろ、いつでも、だれとでも、同じ言葉づかいで話している方が不自然に感じられるのではないだろうか。もし、私たちが、すでにあるアイデンティティにもとづいて人との関わり方を決めているのだとしたら、このように言葉づかいが多様に変化することを説明できない。

そこで提案されたのが、アイデンティティをコミュニケーションの原因ではなく結果ととらえる考え方である。私たちは、あらかじめ備わっている〈日本人・男・中学生〉という属性にもとづいて言葉を選んでいるのではなく、人とのコミュニケーションによって自分のアイデンティティをつくり上げている。「私は日本人だ」「男として恥ずかしい」「もう中学生になった」などと言う行為が、その人をその時〈日本人〉〈男〉〈中学生〉として表現すると考えるのである。

アイデンティティを、その人が「持っている」属性とみなすのではなく、人と関わり合うことでつくりあげる、つまり、「アイデンティティする」行為の結果だとみなすのである。このように、アイデンティティを、他の人とことばを使って関わり合うことでつくり続けるものだとみなす考え方を「構築主義」と呼ぶ。

構築主義によれば、人はあらかじめ「持っている」アイデンティティを表現しているのではなく、他の人と関わり合う中で、その時々に応じて、さまざまなアイデンティティを持った人間として立ち現れるのだ。本書では、構築主義の考え方にもとづいて、ことばとアイデンティティの関係を見ていく。

「構築主義」という考え方の特徴は、何よりも、私たちのアイデンティティは、他の人との関わり合いの中で表現されるものだと考える点だ。関わり合う相手は、人間でなくてもよい。ペットに話しかけるときには、自分でもびっくりするぐらい優しい自分になっている時がある。

## 人と関わり合う前の自分は空っぽなのか？

しかし、ここまで読んできて、いくつかの疑問を持った読者がいると思う。まず考えられる疑問は、他の人と関わり合うことで、その時々に応じてアイデンティティを表現するとしたら、人と関わり合う前の自分は空っぽなのかという問いだ。この、「自分は空っぽ」というのは、たいていの人の感覚とずれている。むしろ私たちは、自分の中には何か自分らしさがあるという感覚を持っているのではないか。

これに対して、構築主義を提案した人たちは、次のように説明する。私たちは、繰り返し習慣的に特定のアイデンティティを表現し続けることで、そのアイデンティティが自分の「核」であるかのような幻想を持つ。

そう言われてみると、私たちが日常的に関わり合う人たちは、結構、似たような人であることが多い。毎日、新しい出会いがある人もいるかもしれないが、たいていは、家族やクラスメート、学校の先生など、同じような顔触れなのではないだろうか。だとすると、私たちは、日常生活で関わる人に対して、かなり長い期間、繰り返し、同じような自分を表現していることになる。そして、それが「自分らしさ」を形成していると感じるようになっているとしても、不思議ではない。

哲学者のジュディス・バトラーは、ジェンダーに関わるアイデンティティについて、「ジェンダーとは、身体をくりかえし様式化していくことであり、きわめて厳密な規制的枠組みのなかでくりかえされる一連の行為であって、その行為は、長い年月のあいだに凝固して、実体とか自然な存在という見せかけを生み出していく」と指摘している（バトラー一九九九：七二）。

つまり、女らしさや男らしさに関わるアイデンティティの側面も、身近な人との関わり合いの中で、長い間繰り返し表現していくことで、「自分の女らしさ、あるいは、男らしさはこんな感じ」という感覚が確立していくというのだ。

## アイデンティティはいくつもあるのか？

もうひとつ考えられる疑問は、私たちは、その時々に応じて、さまざまなアイデンティティを持った人間として立ち現れるとしたら、自分のアイデンティティは複数あるのかという問いだ。これは、「アイデンティティ」をどのように理解するかという難しい問題をはらんでいる。しかし、アイデンティティをひとつに限る必要はないと考える人はいる。

たとえば、作家の平野啓一郎は、『私とは何か』(二〇一二)の中で、「個人」ではなく「分人」という考え方を提案している。この本によると、たったひとつの「本当の自分」など存在しない。むしろ、対人関係ごとに見せる複数の顔が、すべて「本当の自分」である。

「分人」という考え方の素晴らしいところは、たとえ、Aさんとの関係で見せている自分は好きではなくても、Bさんとの関係で見せている自分を支えにしていけると示している点だ。学校でいじめられて苦しんでいる自分がすべてではなく、家に帰って家族から愛されている自分を認めることで生きていける。

このように、複数のアイデンティティを表現することは、後期近代の特徴だという人もいる(キデンズ二〇〇五)。そう言われてみると、以前の日本企業は、終身雇用が売りだった。一度就職すれば、退職するまで同じ会社で働く。自分のアイデンティティは、昇進などで変わるぐらいで、基本的には、会社の限られた人間関係にもとづいていた。

へたをすると、「会社」が、その人のアイデンティティになる場合も多かった。

ところが今は、ひとつの会社に就職しても、転職する人もいる。同じ会社で働く人も、正社員から派遣社員、嘱託やアルバイト、それに加えて転職組など、あらゆる立場の人たちが一緒だ。会社の上下関係だけにもとづいて接していては、仕事が動かない。それぞれの立場の人が、他の立場の人と、アイデンティティを調整しながら関係を築いていかなければならない。現代人が生きる人間関係はより複雑になり、結果として、場面ごとに異なる複数のアイデンティティを生きる必要が発生したのだ。

メイナード(二〇一七)は、ライトノベル、ケータイ小説、トーク番組、テレビドラマ、少女マンガの会話に使われていることばを分析して、これらのポピュラーカルチャーでは、話し手が複数のアイデンティティを表現している場合が多いことを示している。

たとえば、ライトノベルの『涼宮《すずみや》ハルヒの憂鬱』(谷川二〇〇三)では、ヒロインのハルヒは、同じ高校の男子キョンに、「だったら話しかけないで。時間の無駄だから」のように相手を拒否したり、命令したり、罵倒する発言をすることが多い。ところが、ときどき次の例のように、キョンに甘えた発言をする。

1　「キョン、暑いわ」
2　そうだろうな、俺もだよ。
3　「扇いでくんない？」
4　「他人を扇ぐぐらいなら自分を扇ぐわい。お前のために余分に使うエネルギーが朝っぱらからあるわけないだろ」
5　ぐんにゃりとしたハルヒは昨日の弁舌さわやかな面影もなく、
6　「みくるちゃんの次の衣装なにがいい？」
7　バニー、メイドと来たからな、次は……ってまだ次があるのかよ。
8　「ネコ耳？　ナース服？　それとも女王様がいいかしら？」

（谷川二〇〇三：二五五）

この場面では、普段はつれない発言の多いハルヒが、「暑いわ」（1）と弱みを見せたり、「扇いでくんない？」（3）と甘えたり、（8）では、「いいかしら？」と女ことばのステレオタイプな文末詞「かしら」まで使っている。作者も指摘しているように、いつもの「弁舌さわやかな面影もなく」(5)、キョンに甘えている。作者は、このように一見矛盾する言葉の使い方によって、ハルヒの「ツンデレ」なアイデンティティを表現しているのだ。「ツンデレ」は、「ツンツン」と「デレデレ」という相反する複数の要素からなるアイデンティティだ。

本書の中でも、いろいろな例を挙げて見ていくが、複数のアイデンティティを持つことは、「仮面をかぶっている」とか「人をだましている」ということではなく、さまざまな人間関係の中で生きる私たちにとって、ごく当たり前になってきているのではないだろうか。

## 3 アイデンティティの三つの側面——マクロ・メソ・ミクロ

私たちは、人と関わり合うことで、その時々にさまざまなアイデンティティを表現している。すると、「その時々」、つまり、だれが、どういう状況で、いつ、だれと関わり合っているかを細かく調べることが、とても重要になってくる。

そして、このように細かな分析が行われた結果、アイデンティティ自体にも異なる側面を区別できることが分かってきた。

ひとつは、年齢、ジェンダー、国籍や人種、社会階級のように、その社会全体で広く受け入れられているマクロなアイデンティティだ。例として、〈若い〉〈男らしい〉〈日本人〉〈中流〉が挙げられる。

二つ目は、ある集団に特定のメソ（マクロとミクロの中間）のアイデンティティだ。たとえば、ある中学では、部活に所属している〈部活生〉と所属していない〈帰宅生〉が区別されているとすれば、〈部活生〉と〈帰宅生〉は、この中学という集団に限って使われるメソなアイデンティティとなる。

最後が、会話のやり取りの中の、ミクロなアイデンティティだ。どんな会話でも、話し手には、その場面に特有の役割がある。たとえば、生徒の発表を聞いて点数を付ける先生は、〈評価者〉というアイデンティティを「行っている」。また、冗談を言ってみんなを笑わせてくれる人には、しばしば、〈ムードメーカー〉というアイデンティティが与えられる。さらに、失恋した友だちから相談を受けるときには、〈聞き役〉というアイデンティティを引き受ける。

重要なのは、実際の会話では、これらの異なるアイデンティティの側面が同時に表現されるという点だ。同時に表現されることで、互いが混ざり合う。つまり、この三つの側面は、実際にははっきり区別することはできないのだ。

また、場面によっては、異なるアイデンティティの側面が強調される。たとえば、普段日本にいるときには、自分が日本人であることをそれほど意識することはない。ところが、海外に行って日本に関する質問に答えるときなど、日本人の代表になったように感じられ、〈日本人〉としてのアイデンティティを意識する。また、中学校で登下校時刻についての話し合いがあると、朝練や放課後の練習をしたい〈部活生〉と、そうでない〈帰宅生〉のアイデンティティが表面に出てくるだろう。

## 4　表現の材料は無限にある

それでは私たちは、どのようにしてアイデンティティを表現するのか。何もないところから表現することはできない。材料が必要である。アイデンティティ表現に利用することができる材料は、無限にある。なぜならば、意味を表すものならば、何でも利用できるからだ。

## 服装や髪型も「ことば」

悲しいかな人間は、「アイデンティティ」のような抽象的イメージを直接伝えあうことができない。音や形、色や味、手触りなど、五感で認識できるものを通して表現しなければならない。だから、音や形を持ったものに意味を結び付けて、お互いに音や形を交換することで意味を伝えようとするのだ。

記号論という分野では、このように音や形、色が意味と結び付いているものは、すべて「記号」とみなす（池上一九八四）。ことばも記号のひとつになる。トイレの入り口にある絵は〈女子トイレ〉や〈男子トイレ〉という意味を示す記号であり、学校の制服も〈その学校の生徒〉という意味を示す記号だ。人間が意味を表現するために利用するものを「記号」としてとらえる視点は、広告や雑誌のように視覚イメージが多用されているものを賢く理解する「メディアリテラシー」を身に着けるためにも有効だ。

服装や髪型、しぐさや姿勢なども、それが〈意味〉と結び付いていれば、アイデンティティを表現するための材料になる。「セーラー服」を、その人が〈女子高生〉であることを示すために利用できるのは、すでに「セーラー服」という服装と〈女子高生〉のアイデンティティが結び付いているからである。この意味では、服装や髪型も「ことば」と類似した働きをしている。

そのなかでも「ことば」は、もっとも体系化され、だれもが利用することのできる材料である。まさに人間が、音声や文字という具体物を通して意味を表現する「言語」を発達させてきたゆえんである。

## アイデンティティを伝える「ことば」の種類

通常、「ことば」は、何かの内容を人に伝えるために使われると考えられている。もちろん、情報を伝えることは「ことば」の重要な働きのひとつだ。それに加えて、「ことば」には、アイデンティティを表現する材料としての働きもある。

私たちが人とコミュニケーションをするときには、同じ内容を伝えていても、言葉づかいを使い分ける。それは、話している内容以外のさまざまな情報を「ことば」を使い分けることによって伝えているからである。

その中には、自分をどのような人物として造形するのか、相手をどのような人物として扱っているのか、あるいは、会話の中に登場している人をどのような人物として言及しているのかなどの情報も含まれている。会話に関わるさまざまな人物を「ことば」を使い分けることによって造形しているのである。これが、「ことばはアイデンティティ表現の材料だ」という意味だ。

アイデンティティ表現の材料としてもっとも分かりやすい例は、先に挙げたマクロなレベルのアイデンティティを指す「ことば」だ。たとえば、「日本人」ということばを使って「私は日本人です」と言えば、〈日本人〉というアイデンティティを表現できる。反対に、「日本人」という「ことば」がないと、このように簡単には〈日本人〉というアイデンティティを表現できない。社会で広く認められているアイデンティティには、表現しやすいように、それを示す「ことば」がつくられるのだ。

また、日本では「日本人なら日本語を話すはず」という考え方が根強いので、日本語を話しているだけで、〈日本人〉というアイデンティティを表現できる場合も多い。外国の街角で日本語が聞こえてくると、「あっ、日本人だ」と思う。「日本語」全体が、アイデンティティの材料になるのだ。

さらに、細かいことばでは、「人称詞」や「文末詞」を挙げることができる。人称詞というのは、「わたし」や「あなた」のような人を指すことば、文末詞というのは、「です」「ます」「だ」のような、文の最後に来ることばを指す。

人称詞の例で言えば、自分のことを「ぼく」と呼ぶか、「わたし」と呼ぶかで、話し手が表現している自分のイメージはずいぶん違ってくる。相手のことを「○○さん」と呼ぶか、「○○ちゃん」と呼ぶかで、自分と相手の関係も異なる。また、会話に登場した人を「あの人」と呼ぶか、「あいつ」と呼ぶかでも、その人物の造形が変わってくる。

同じように、文末詞も、「今、何時？」と聞かれて、「八時」と答えるか、「八時です」、あるいは、「八時だ」と答えるかで、相手との関係が全く違う。「八時」だと、ざっくばらんな親しい関係、「八時です」だと、ていねいだけど、少し距離のある関係、「八時だ」だと、上から目線の関係とでも書き表せる。相手との関係によって、自分の相手に対するアイデンティティも異なってくる。

しかし、これらの例で、異なる文末詞によって表現される相手との関係をはっきり決めることができなかったように、実際に相手との関係の中で、話し手がどのようなアイデンティティを表現しているのかを知るには、「です」「だ」のような個々のことばだけではなく、使われている場面や会話の目的などの状況、さらに、話し手が使っている他のことばも考慮する必要がある。

また、第4章で詳しくみるように、アイデンティティを表現する材料として使われるのは、個々のことばだけではなく、それらが集まった「○○ことば」であることが多い。たとえば、「あたし」という人称詞や「〜だわ」という文末詞などが集まった言葉づかいは、「女ことば」と呼ばれる。典型例には、「あら、あたし嫌だわ」のような話し方が挙げられる。

「○○ことば」の中には、具体的な人物像、つまり、アイデンティティと結び付いているものがある。「女ことば」の場合で言えば、〈ひかえめで、丁寧で、女らしい女性〉や〈中年の主婦〉、あるいは、〈高飛車なお嬢さま〉という人物像を想起させるかもしれない。本書では、「〇〇ことば」がアイデンティティ表現に使われる例として、敬語（第5章）、方言（第6章）、女ことば（第7章）を見ていく。

### 言語資源

このように、アイデンティティ表現の材料として利用されることばは「言語資源」と呼ばれる。

「言語資源」という概念は、ことばを話し手から切り離して、だれでも使える「アイデンティティ表現の材料」としてとらえなおす。

これまでの考え方では、ある人がていねいな言葉づかいをするのは、その人が謙虚な人だから、つまり、〈謙虚な人〉なので、「ていねいな言葉づかい」になったと考えた。しかし、「ていねいな言葉づかい」をだれもが使える言語資源とみなすと、謙虚な人でもおうへいな人でも、時と場合に応じて「ていねいな言葉づかい」をすることになる。

人と関わり合う前から〈謙虚な人〉や〈おうへいな人〉がいるのではなく、同じ人でも、「ていねいな言葉づかい」をするかしないかによって、〈謙虚〉になったり〈おうへい〉になったりする。私たちは、時と場合に応じてさまざまな言語資源を駆使することで、さまざまなアイデンティティを持った人間として立ち現れ、また、さまざまな人物を造形することができるのだ。

ことばを「言語資源」とみなす視点が重要なのは、私たちは、自分のアイデンティティと結び付いているわけではない言葉づかいを使って、同時に複数のアイデンティティを表現するときがあるからだ。

たとえば、第6章では、若い人が、自分の属していない地域の代表的な言いまわしをメールなどで用いる「方言コスプレ」を取り上げている。京都出身ではない人が「おいでやす」などと使う例だ。

このような例を説明するには、あらかじめ〈京都出身〉というアイデンティティを想定して、このアイデンティティにもとづいて「おいでやす」を使うという本質主義では説明ができない。

むしろ、「おいでやす」はアイデンティティ表現の言語資源として広く共有されており、どこの出身の人でも「おいでやす」を使って京都弁に付随する〈女らしさ〉や〈はんなりさ〉のようなアイデンティティを表現していると考えるべきだろう。

このように自分が所属していないグループのことばを使う例は、「ことばの越境」と呼ばれ、世界中で観察されている。第6章と第7章では、「英語を話す強盗と関西弁を話す警察官」と「オネエことば」を「ことばの越境」の例として、とりあげている。

## 5 「ことば」の制限と創造性

ことばは、私たちが豊かなアイデンティティを表現するために利用することができる貴重な材料であることが分かった。

しかし、私たちのコミュニケーションは、すでにあることばを使わざるを得ないという意味では、制限されている。

自分が言っていることを相手に理解してもらうためには、社会にすでに共有されている「ことば」を使うしかない。ことばは社会的な約束事なので、「今日から私は自分のことをパピポと呼ぶ」と決めても、相手が「パピポ」ということばの意味を知らなければコミュニケーションが成りたたない。

しかし社会には、限られた数のことばしか用意されていない。限られた数のことばで表現できるアイデンティティは、限られる。たとえば、第3章で詳しくみるように、日本語で主に使われている自称詞（自分を指すのに使われることば）には、「わたし、わたくし、あたし、ぼく、おれ」などがある。そのうち、女子に適当だと考えられているのは、「わたし、わたくし、あたし」までだ。

しかし、第3章でも見ていくように、自分を「わたし、わたくし、あたし」と呼ぶことに抵抗がある女子がいることも確かだ。同じように、男子に適当だと考えられている「ぼく、おれ」にも、抵抗感を持つ人がいる。つまり、「わたし、わたくし、あたし、ぼく、おれ」という限られた自称詞と結び付いているアイデンティティでは、自分が表現したい「自分」にピッタリこないのだ。

その結果、私たちは、アイデンティティと結び付いた限られた数のことばをさまざまに組み合わせたり、別の所から借りてきたりしながら、創造的にアイデンティティを表現するという形をとる。右に挙げた自称詞の例で言えば、最近の女子小中学生は、関西方言から借りてきた「うち」を使い始めている。自称詞は使わずに、名前を使う人もいる。

さらに、私たちのアイデンティティ表現には、実にさまざまな方法がある。もっとも一般的な方法は、習慣としてあまり意識せずに、アイデンティティを表現する場合だろう。毎日家族と接する中で、〈その家の子ども〉というアイデンティティを表現する場合などだ。

また、意図的に表現する場合もある。たとえば、先に、日本では「日本人なら日本語を話すはず」という考え方が根強いので、日本語を話しているだけで、〈日本人〉というアイデンティティを表現できると書いた。第6章では、これを逆手にとって、変な英語を話して、外国人の振りをして強盗に入った人の例を見る。実に「意図的」なアイデンティティ表現だ。

相手と関わり合う中で自分のアイデンティティを調整する場合もある。たとえば、自分を子ども扱いする人にきちんと説明して「しっかりしてるなあ」と言わせたとしよう。この場合は、相手と関わり合う中で、相手が自分に対して持っていた〈幼い子ども〉というアイデンティティを〈しっかりした子ども〉に調整したのだ。

さらに、人からアイデンティティを押し付けられる場合もある。たとえば、私のような高齢女性が家電量販店にパソコンを買いに行くと、店員さんは、質問している私ではなく、一緒に来た息子の顔を見て説明する。つまり、私に〈パソコン音痴のおばさん〉というアイデンティティをあてがっているのだ。これに対して、パソコンの知識を開陳して、〈パソコンに詳しいおばさん〉というアイデンティティに調整できれば良いのだが、悲しいかな、本当にパソコン音痴なので、仕方がない。

このように、アイデンティティは、さまざまな制限の中で、さまざまな方法で表現されるので、いつ表現されたアイデンティティも、その人のすべてを表しているのではない。私たちのアイデンティティ表現は、いつも部分的なのだ。

それでも、私たちは、制限を乗り越え、方法を駆使して、日々、アイデンティティを表現している。むしろ、制限があるから創造が生まれると言えるほどだ。今あるアイデンティティ表現の制限に変化を引き起こすのは、このような「アイデンティティの創造」である。

以下の章では、ことばの制限と同時に、ことばによるアイデンティティ表現の創造性に焦点を当て、コミュニケーションで用いられることで、ことばとアイデンティティの結び付きが変化していくダイナミズムを明らかにしたい。

# 第2章

## 名前——「わたし」を示すことばの代表

アイデンティティを示すことばの代表は、名前だろう。「あなたは、だれですか」と聞かれれば、名前を答える。あたかも、名前こそが、私が私であることを証明してくれているようだ。

## 1　名前に対する二つの感覚——「名実一体観」と「名前符号観」

私たちの名前に対する考え方は、大きく二つに分けることができる。ひとつは、名は体を表す、名前はその人そのものであるという「名実一体観《めいじついったいかん》」。もうひとつは、名前は人物を特定する符号に過ぎないという「名前符号観」とでも呼べる考え方。私たちの名前に対する感覚は、この二つの考え方の間をさまざまな程度で行き来している。

日本の「名実一体観」は、すでに古代から神々、ミカド、天皇の名を書いたり口に出すことを避ける「実名敬避《じつめいけいひ》」の伝統にみられる。さらに、古代・中世においては、自分の名前を知らせることが、その人の弟子や従者になる、あるいは、敵に降伏する意味を持っていた。

実名敬避の伝統は、現代でも、目上の人を名前で呼ぶことを避けるという形で残っている。会社では、下の人は上の人を名前ではなく職名で呼ぶが、上の人は下の人を名前で呼ぶ。社員は、社長を「社長」と呼ぶ。しかし、社員に、「社員」と呼びかける社長はいない。「中村さん」と名前で呼ぶ。目上の人は下の人を名前で呼んでも良いのだ。家庭でも、弟は兄を「兄さん」と呼ぶが、弟を「弟さん」と呼ぶ兄はいない。学校でも、生徒は先生を「先生」と呼ぶが、生徒を「生徒」と呼ぶ先生はいない。

それ以外にも、名実一体観は、さまざまな所に顔を出してくる。

私たちは名前の言い間違い、読み間違い、書き間違いは、他のことばの間違いと比べて、失礼なことだと認識している。卒業式で、名前を読み間違えられたら、がっかりだ。「スマホ」「パソコン」など、なんでも省略して短く言う時代でも、人の名前は本人の承諾がなければ省略しない。

先日公園に行ったら、「シロ!」と呼ぶ声がした。すると、声の主をめがけて真っ黒な犬が走り寄ってきた。ちぎれるほどにしっぽを振って飼い主に頭をなでてもらっている黒い犬を見て、飼い主のユーモアに、ほっこりした。そして、「シロ」の意味など関係なく、自分の名前に反応する犬をかわいらしく思った。これも、「シロという名前ならば白い犬だろう」という名実一体観を裏切る命名だったからこその感慨だろう。

名実一体観は、日本に限ったことではない。ファンタジー文学のベストセラー『ハリー・ポッター』シリーズでも、多くの魔法使いが、闇の帝王「ヴォルデモート」を「名前を言ってはいけないあの人」と呼び、その名前を口にしないばかりか、ハリーがその名前を言うと、あたかも、名前そのものが本人であるかのように恐ろしがる。

グリム童話の中には、自分の名前を当てられると怒って自分自身を引き裂いてしまう小人が出てくる、『がたがたの竹馬こぞう』という話がある。

## 一人一名主義

名実一体観を大きく変更させたのが、明治五（一八七二）年に明治政府が発布した改名禁止令と複名禁止令である。それまでの日本では、元服、襲名、出家、隠居など立場が変わるごとに改名していた。元服をすれば幼名から成人名へ（伊達《だて》梵天丸《ぼんてんまる》→伊達政宗）、隠居をすれば改名（滝沢《たきざわ》馬《ば》琴《きん》→滝沢笠翁《りつおう》）、出家をすれば俗名から戒名へ、職業、立場、地位の変更が必然的に改名をともなっていた。このうち、戒名は現在でも機能している。仏壇の中の位牌に書いてある名前だ。

さらに、官名や国名など一人の人が同時に複数の名前を使うこともまれではなかった。「赤穂浪士」で有名な大石内蔵助《おおいしくらのすけ》の「内蔵助」は官職を指し、元の名は、大石良雄《よしお》だ。宮本武蔵の武蔵は、武蔵の国からきている。

江戸時代まで日本は多くの藩に分かれていた。しかし、明治時代になって、日本をひとつの国に統合しようとしていた明治政府にとっては、国民を把握してしっかり徴兵・徴税することが重要であった。そのためには、国民が名前を変えたり、同じ人が複数の名前を使っていたのでは困る。そこで、一人がひとつの名前を使って戸籍を編製するように定めたのだ。改名するためには、国に届けて承認してもらわなければならなくなった。

私たちにとって当たり前になっている「一人にひとつの名前」が生まれた背景には、国家が国民を管理する目的があった。以降、国家は国民の名前をさまざまな形で規制していくようになる。

これを読んで、「そんなことはない。私の好きなアーティストは、みんな、個性的な名前で活躍している」と、思った人がいるかもしれない。その通りだ。私など、どちらが歌の題名で、どちらが歌手の名前なのか、わからないときがある。しかし、そんなアーティストも、税金を納めるときや、健康保険に加入するときには、戸籍に登録した氏名を使っているはずだ。

一人一名主義は、名前を、個人を識別する符号のようにみなす考え方に結び付いた。その結果、現代の私たちは名前に関して名実一体観と名前符号観の両方をあわせもつにいたったのだ。

## アメリカの命名と日本の命名の違い

ちなみに、日本で子どもに名前を付けるときと、アメリカなどのキリスト教圏で子どもに名前を付けるときでは、大きな違いがある。

日本では、漢字やひらがなの意味や音、字画を意識して組み合わせることで、新しい名前を作ることが多い。一方、キリスト教圏では、いくつかある聖人の名前から選ぶほうが一般的だ。だから、私のアメリカ人の友人には、ジョンがやたら多い。ジョンは、聖書に出てくるヨハネに由来する。

このような命名方法の違いは、同じ名前を持つ人に対する感覚にも影響を与えている。新しい名前を作る日本では、同じ名前、しかも、漢字まで同じだと、その人に親近感を持つことが多い。一方、たくさんの「ジョン」がいるアメリカでは、相手も「ジョン」だと分かっても、苦笑いするだけだ。

ある日、私のもとに、きれいな絵ハガキが届いた。だれから来たのかと差出人を見ると、「中村桃子」と書いてある。自分が旅先から絵ハガキを出した覚えはないが、宛名も中村桃子だ。読むと、本屋で私の本を見つけた方が、たまたま、私と同じ中村桃子という名前の人で、うれしくなって、わざわざハガキをくださったそうだ。これも、名実一体観が生み出した縁だろう。もちろん、私もうれしくなってお返事を出した。

先日、出会った人は、もっと徹底していて、自分と同じ名前の人の会を作ったそうだ。たしか、「ひろゆき」だった。漢字も同じでなくてはならない決まりにしたが、全国各地から、さまざまな職業や立場の人が参加しているという。同じ名前を持つという親近感があったので、はじめから親戚のように話すことができたそうだ。このような感想も、名実一体観の強さを示している。

## 2　人が変わって名前が変わる、名前を変えて自分も変わる

このように、名実一体観と名前符号観が混在している地域では、人の変化と名前の間に二つの関係を想定することができる。

ひとつは、人が変化したから名前を変えるという関係だ。名実一体観によれば、人物が変われば、それに合わせて名前も変わらなければいけないことになる。実際、先に見たように、明治時代までは、多くの日本人が一生にたびたび改名していた。

もうひとつは、名前を変えることで、自分も変化しようとするという関係だ。最初の考え方では、人物が変身したので名前も変更しているが、この考え方では、人物はまだ変身していないのに、先に名前を変えることによって、人物にも何らかの変化が起きることが期待されている。

これは、病気・厄除けのげん直しのための改名に見られる。滝沢馬琴も六一歳の厄年に篁民《こうみん》と改名した。現在でも、事故や病気の後に改名する人がいる。

また、ペンネームや芸名など、個人のイメージが重要な職業の人は別の名前を用意する。美空ひばりの本名が加藤和枝だと聞いて驚く人もいるだろう。

このように、名前を変えることによって、名前を付けられたものも変更してしまうという現象は、一般的なことばの働きにもひんぱんに観察されるものである。たとえば、それまで「中村アパート」と呼んでいた建物を「リバーサイドパレス」と呼び直すと、同じ建物でもかなり異なって認識される。商品名が重要なのは、ネーミングによって売り上げが変わってくるからなのである。

さらに、こうなってほしいという願いを名前に託す、親が子どもに命名する場合がある。親は、姓名判断や字画を考慮して、子どもが幸せになるように命名する。美しくなってほしければ「美」をつけ、大きく飛び立ってほしければ「翔」をつける。名前という「ことば」には、指している人を作り上げ、時として、アイデンティティを与える力があるのだ。

## 3　名づけには制限がある

しかし、自分の子どもでも一〇〇％自由に名前を付けられるかというと、そうでもない。そもそも日本では、人名に使うことができる漢字が法律で定められている。「人名用漢字」というもので、これらの漢字と常用漢字だけが、戸籍に子どもの名前として記載できる。

また、「名字らしさ」や「名前らしさ」という感覚もある。たとえば、「中村、鈴木、田中」などは、姓として知れ渡っているので、これを名前に使う人はすくないだろう。そのため、劇作家の松尾スズキの名前を知った時には、「スズキ」を下の名前にした着眼点に感心した。

「きゃりーぱみゅぱみゅ」という名前を聞いた時は驚いた。「名字らしさ」や「名前らしさ」などと全く無関係。日本語らしくもない。そもそも、最初に「ぱりーきゃむきゃむ」と覚えてしまったので、いまだに正しく言うのに苦労している。

息子が小学生のころ、息子の友だちが夏休みにおじいちゃんのところに遊びに行ったと話してくれた。

「学校の友だちがいないけど、何してたの？」と聞くと、

「おじいちゃんのところには、「けんじ」もいるから」という返事。

「へー。いとこ？　よかったね」と言うと、

「おじいちゃんの犬だよ」と言う。思わず、

「え！　犬の名前が「けんじ」なの？」と聞くと、

「そうだよ」とすまし顔。

犬に「けんじ」という人間のような名前を付けるなんて、すてきなおじいちゃんだな。そして、それを当たり前のように受け入れている友だちも、いい子だな。でも、考えてみれば、犬によくある「ジョン」という名前は、西洋では聖人の名前だ。人間らしい名前と犬らしい名前の感覚も文化によって違うようだ。

## 4　婚姻改姓は何を変える？——ひとつの姓に束ねられた家族像

国家が国民の名前を規制しているもっとも顕著な例は、夫婦は同じ姓でなければなら

ないという法律だ。民法七五〇条には、「夫婦は、婚姻の際に定めるところに従い、夫又は妻の氏《うじ》を称する」とある。

ここで、「氏」と称されているのは、いわゆる「苗字《みようじ》」のこと。苗字は、「姓・氏・名字」などとも呼ばれ、これらは歴史的にそれぞれ異なった意味を担っている。民法では「氏」が用いられるが、本章では読者になじみのある「姓」を使っていく。

家族法に詳しい二宮周平（二〇〇七）によれば、このように夫婦同姓を法律で強制している国は、世界でも日本だけ。どうして、このような法律ができたのだろうか。

先にも説明した通り、明治時代になって国民を把握する必要ができたときに、明治政府は一人一名主義を定めた。これは、氏名を用いて国民の戸籍を作るためだった。明治民法の戸籍は「家」制度にもとづいていたため、姓は「家」の名称になった。そのため、当初は、他の家から入ってきた妻はそれまでの姓を用いるという考え方もあったが（久武一九八八）、しだいに妻に夫の家の姓を名乗らせることで、妻も家に所属していることを明確にするようになった。姓の変更は、その人が属する「家」が変わることを意味したのである。

明治民法の家制度では、父である戸主に絶対的権力（戸主権）があった。父には、財産を管理し、住む場所を決め、子どもの親権や結婚、養子縁組、分家を承諾する権利があり、家族の生活はほとんど父によって決定されていた。

一方、妻は財産を管理したり処分することのできない「法的無能力者」とされただけでなく、親権もなかった。戸主権と財産は長男一人に相続されたので、女の子どもだけでなく長男以外の男の子どもにも継承されなかった。つまり、家制度の「家」とは、父親から長男に継承していく「男の家」を指していたのである。

その結果、改名禁止令にもかかわらず、国民の半分が改姓することになった。女性が結婚する時に夫の姓に変更する、婚姻改姓である。婚姻改姓は、女性が父親の家から夫の（父親の）家に所属が変更したことを意味したのである。

## 夫婦同姓と家族単位の戸籍

しかし、一九四六年に民主主義にもとづく日本国憲法が発布され、家制度は、「婚姻における夫婦の平等」（第二四条）に違反するとして廃止された。妻の「無能力者」という法的地位も廃止され、財産は均等相続となり、子どもの親権も夫婦共同になった。「家」がなくなったのだから、姓は家ではなく個人の名称になるはずだった。

ところが、このときに二つのものが残された。ひとつは、夫婦同姓と親子同姓であり、もうひとつは戸籍筆頭者を置いた戸籍編製である。典型的には、夫を戸籍筆頭者として、一組の夫婦と、この夫婦と姓を同じくする子どもを単位とする家族単位の戸籍である。これまで「家」を象徴していた姓が、こんどは「家族」を象徴することになったのである。

このような家族単位の戸籍制度を持っているのは、世界でも日本や台湾などごく一部で、その他の国では個人単位の登録を行っている。

### 姓によって残された「家」意識

姓にもとづく家族単位の戸籍が使われ続けたことで、法的には廃止されたはずの「家」が人々の意識の中に残ることになった。それは、戸籍が、多くの場合、夫である戸籍筆頭者を基準に他の家族が入籍したり除籍する仕組みになっているからだ。

子どもが生まれれば子どもは夫の籍に入り、夫婦が離婚すれば、妻が除籍され、子どもが結婚すれば、子どもが除籍される。これは、明治時代の家制度における戸主と家族の主従関係を思い起こさせるものである。

　この「家」意識を具体的な形に表しているのが、姓である。たとえば、週刊誌の見出しで、有名人が「入籍した」という表現は、どのように理解されているだろうか。「女性が男性の家に入った」と理解されることが多いのではないだろうか。

図2-1　結婚式場の入り口にある案内板。このような案内板は、結婚が、家と家の結び付きであるかのような印象を与えている（写真提供：横山誠一氏）

　しかし、現在の法律で想定されている結婚とは、女性が男性の家に入るのではなく、女性も男性も親の戸籍から出て、新しい戸籍を作るのである。今でも結婚が、「女性が男性の家に入る」と誤解されているのは、女性の婚姻改姓が家の変更と結び付けられているからなのだ。

## なぜ日本では女性が婚姻改姓するのか

結婚したら、女性が男性の姓になるのが当然だと考えている人は多い。実際、結婚したカップルの約九六％は妻が夫の姓に変更している。テレビの連続ドラマでも、ヒロインが結婚したら、何の説明もなく、次の週から夫の姓を名乗っている。

しかし、民法七五〇条には、「夫婦は、婚姻の際に定めるところに従い、夫又は妻の氏を称する」とあるだけで、法律上は、妻か夫のどちらかが改姓すればよいことになっている。ではなぜ、女性が婚姻改姓するのだろうか。

最大の理由は、「みんながそうしているから」だろう。多くの人は、習慣として女性が改姓しているし、姓が変わることに対する躊躇《ちゅうちょ》もない。むしろ、婚姻改姓には「正式な結婚」という意味があり、正式な妻として認められた喜びにも通じる。

## 女性の婚姻改姓にともなう問題

しかし、結婚する時には「みんながやっているから」と婚姻改姓した女性は、いくつかの問題に直面することになる。主なものだけ挙げて見よう。

ひとつは、姓を変更することに伴う膨大な事務手続きだ。携帯電話、パスポート、免許証、クレジットカード、銀行やネット、車の名義など、すべてを変えなければならなくなる。

また、お互いを姓で呼び合うことが多い日本では、女性だけが結婚のようなプライベートな情報を、仕事で関わる人や親しくない人に知られてしまう。よく指摘されるのが、同窓会名簿だ。女性の名前の後にだけ「旧姓」の欄があり、一目でだれが結婚したか分かるようになっている。おめでたいことだから良いじゃないかと考える人もいるかもしれないが、結婚のようなプライベートな情報を、親しくない人にも知られることに抵抗を感じる人もいる。万が一離婚して旧姓に戻ることを選択したら、また、周りの人に離婚を知られることになる。

さらに、結婚前と後の仕事が、同一人物が達成したものであることも分からなくなる。現代社会では多くの女性がさまざまな分野で成果を上げているが、その制作者名、登録者名、著者名などは、「姓＋名」で記録される。そのため、たとえば婚姻改姓して姓が「中村」から「鈴木」に変わると、改姓前の業績は「中村」の業績、改姓後は「鈴木」の業績と、まるで別の人の業績のように表示される。その結果、改姓前と後の仕事の連続性が失われてしまう。

このような連続性の喪失は、女性自身にとっても、「自分でなくなるように感じる」という喪失感につながる。前の姓で業績を積み上げてきた自分が、いなくなったように感じる人もいるかもしれない。名前をその人そのものととらえる名実一体観によれば、このような感慨も理解できる。

## 選択的夫婦別姓

これらの問題を解決すべく、一九八〇年代半ばから、多くの法律家、政治家、活動家が夫婦別姓を提案してきた。一九九六年に法制審議会が答申した改正案では、結婚する時に夫婦が同姓か別姓かを選択できる制度（選択的夫婦別姓）に加えて、兄弟姉妹の姓を統一するために、結婚する時に子の姓を母または父のどちらかに決めておくことや、すでに結婚している人も別姓を選択できることなどが提案された。

二〇一七年に法務省が行った世論調査では、別姓を認めるように制度を改めても構わないと考えている人が四二・五%と最も多い。結婚後も以前の姓を通称として使えるように法改正しても構わないと考えている人が二四・四%で、夫婦は同姓を名乗るべきと考えている人は二九・三%である。

また、二〇二〇年一一月には、早稲田大学の教授と市民団体「選択的夫婦別姓・全国陳情アクション」が、全国の六〇歳未満の成人男女七〇〇〇人を対象にネット調査した。その結果、「自分は夫婦同姓がよい。他の夫婦は同姓でも別姓でも構わない」が三五・九%で、「自分は夫婦別姓が選べるとよい。他の夫婦は同姓でも別姓でも構わない」も三四・七%。「自分は夫婦同姓がよい。他の夫婦も同姓であるべきだ」と回答したのは、一四・四%のみだった。これは、七割が選択的夫婦別姓に賛成だと解釈できる結果だ。

さらに、名前はその人物を他人と区別する符号ではなく、その人の人格を象徴するものであるとする判決もある。最高裁は一九八八年に、「氏名は、(中略)人が個人として尊重される基礎であり、その個人の人格の象徴であって、人格権の一内容を構成するもの」とした。名前が人格権のひとつならば、自分をどのような名前で呼ぶかは、憲法の保障する表現の自由として保護されるべきである。

## 姓が違うと、家族の一体感がなくなりますか？

しかし、二〇二〇年の現在まで選択的夫婦別姓は実現していない。それは、夫婦が別姓になると、「家族の一体感がなくなる」という意見が根強いからである。「たかが名前」にこれだけ長期の論争が続いているのは、名前に日本の家族像が象徴されているからなのだ。

しかし現代は、「家族」の概念も多様化しており、国がひとつの家族の形を基準にすることに意味がなくなっている。二〇一五年の国勢調査によると、夫婦と子どもからなる世帯は全世帯の二六・九％に減少した。晩婚化と高齢化の結果、単身世帯が三四・六％に増加し、「夫婦のみ」の世帯も二〇・一％になる。つまり、日本の「家族」の三割以上が「ひとり家族」なのだ。

さらに、男と女だけを夫婦とみなすと、同性のパートナー関係は家族ではなくなる。

届け出を正式な結婚とみなすと、事実婚や婚外関係が正式ではないことになる。未婚で子どもを持つことに対しても、基準から逸脱しているという先入観で見ることになる。

現実にはすでにさまざまな家族の形があり、固定した家族像は、それ以外の生き方を認めない息苦しい社会をつくり出しているのだ。

先に見たように、諸外国では夫婦同姓を強制していない。先日、夫婦別姓が当たり前の中国の友人に、「あなたは、姓が違うと家族の一体感がなくなるように感じますか」と聞いたら、何を言い出したのかという表情で笑われてしまった。どうやら、日本人の中に、夫婦同姓は家族の一体感を表していると考える人がいるのは、日本ではほとんどの家族が同姓だからだという単純な理由なのかもしれない。

これまで通り「姓」に束ねられた家族を基準とするのが良いのか、それとも、さまざまな関係も同じ家族として受け入れる社会が良いのか。これまで結婚したら女性が男性の姓を名乗ることが当然だと思っていた人も、「姓」が担ってきた家意識や国が名前を規制することについて考えてみる価値がありそうだ。

なぜなら、名前は、私たちのアイデンティティそのもの、最高裁も言っている通り、

「人が個人として尊重される基礎」なのだから。

## 5　たくさんの名前を持つ現代人——演じ分ける「わたし」

国は「ひとりにひとつの名前」を使ってほしいのに、現代の人はたくさんの名前を使い分けている。SNSでは、たいていの人が本名ではなくHN（ハンドルネーム）を使う。そんなことは、読者のみなさんには当たり前かもしれないが、五〇年ぐらい前は、ラジオで流してほしい曲を番組放送中にリクエストしていたが、そんなときも、本名を使って葉書か電話でしていた。本名なので、翌日学校に行くと「〇〇ラジオにリクエストしたでしょう」と友だちに言われたものだ。その後、「ラジオネーム〇〇さんからのリクエストです」と「ラジオネーム」が登場。一般人が複数の名前を使うようになった。

私が一番驚いたのは、二〇一六年に「ペンパイナッポーアッポーペン」を大流行させたピコ太郎だ。私はてっきり、「ピコ太郎」という芸人さんがやっているのかと思っていた。ところが、学生が教えてくれたところによると、あれは、「古坂大魔王」というタレントが、「ピコ太郎」をプロデュースしているのだという。つまり、ピコ太郎—古坂大魔王―さらに、彼の本名の「古坂和仁」、という三段構えになっているのだ。

どうして、そんな面倒なことをするのかというと、ピコ太郎という別人の企画ということにすれば、思い切ったキャラクターを造形できるうえ、万が一ピコ太郎がヒットしなくても、それはピコ太郎の企画がうまくいかなかっただけで、古坂大魔王までつぶれる心配がないからだという。まさに、複数のアイデンティティを使った、エンターテイメント戦略と言える。

そして、そんなことを当たり前のように私に説明してくれた学生にも、驚いた。学生は、複数のアイデンティティを使い分けることに、違和感がないのだ。もちろん、ピコ太郎も、税金を納めるときには、本名を使っているだろう。しかし、ハンドルネームなど複数の名前によって、それぞれのアイデンティティを使い分けることに対する抵抗感のなさは、第1章の構築主義で説明した、各々の場面によってさまざまなアイデンティティを表現するという後期近代の特徴を象徴している。

複数の名前を使い分けることで、複数のアイデンティティを表現している現代人。

次章では、「わたし」や「ぼく」などの呼称を通して、アイデンティティ表現の材料としてのことばの制限と、その制限を乗り越える私たちのアイデンティティ創造の例を見ていこう。

# 第3章

# 呼称——呼び方で変わる関係

## 1 「あたし・うち・ぼく・おれ」どれを使う？

呼称の代表は人称詞だ。日本語にはたくさんの人称詞（人を指すことば）があり、身近なものには、「自称詞」と「他称詞」がある。自称詞とは、「わたし」や「ぼく」などの自分を指すことばで、他称詞とは、「あなた」や「きみ」など相手の人を指すことばだ。日本人にとって人称詞がたくさんあることは、当たり前かもしれないが、たとえば、英語の自称詞は「I」というひとつしかない。だから、日本語にさまざまな自称詞があることは、日本語の豊かさのひとつとみなされてきた。

しかし、数が多いから、かえって制限されてしまう面もある。

第一に、人称詞は自由に選べるわけではない。たくさんある人称詞は、それぞれ微妙な違いを表現している。中でももっとも明確な違いは、話し手の性別だろう。自称詞の場合で言えば、「わたし」と「あたし」は女性用、「ぼく」と「おれ」は男性用の代表例だ。男性も、フォーマルな場では「わたし」を使うことができるが、女性が「ぼく」や「おれ」を使ったり、男性が「あたし」を使うと、ルールから逸脱しているような印象になる。
あえて逸脱した自称詞を使うことは、新しいアイデンティティを創造する側面を持っている。小中学生の女子が「ぼく」や「おれ」、「うち」を使う例については、後で詳しく見ていく。また、トランスジェンダーが「あたし」を使う「オネエことば」については、第7章で取り上げている。

第二に、人称詞はたくさんあるが、今ある人称詞が表しているアイデンティティしか表現できないという制限がある。たとえば、「ぼく」と「おれ」にはいくつかの違いがあるが、そのひとつは、のび太の「ぼく」とジャイアンの「おれ」の違いだろう。「ぼく」と「おれ」は、それぞれ、〈弱気な男子〉と〈ガキ大将〉のアイデンティティと結び付いている。だから、ある男子が、自分は「のび太」でも「ジャイアン」でもないと思っていても、その中間の自称詞はない。当然ながら、どれだけ数が多くても、だれのアイデンティティ表現にもしっくりくる自称詞を用意するには足りないのだ。

だから、次章で詳しく見るように、私たちは自称詞などの単語だけでなく、他のことばも含んだ「○○ことば」で微妙なアイデンティティの違いを表現する。たとえば、同じ「ぼく」を使っても、「ぼくは、違うと思うぞ」と「ぞ」という文末詞を使えば、強く主張している印象になるが、「ぼくは、違うと思います」と「ます」を使えば、ていねいなアイデンティティになる。もちろん、これらの「ぼく〜ぞ」や「ぼく〜ます」がどのような場面でだれと話している時に使われるかで、その印象も異なってくる。

## 女子が「ぼく」を使うのは、間違い?

先日取材を受けた方から、小学校一年の娘さんが作文で自分のことを「ぼく」と書いたら、先生に「わたし」と直されたとお聞きした。先生は、「女子は「ぼく」ではなく「わたし」を自称詞として使う」という「常識」を教えてくれたのだろうが、本人は自分が選択した自称詞が「間違い」だと言われたように感じて、いたく傷ついたそうだ。

この出来事は、「男女は違う自称詞を使うべきだ」という考え方(言語イデオロギー)が、学校教育で教える「常識」になっていることを示している(「言語イデオロギー」について詳しくは、第4章一一三―一一五頁《ページ》参照)。試しに確認してみると、現在用いられている小学校の国語の教科書に登場する子どもは、何の説明もなく、女子は「わたし」を

図3-1　東京書籍（2015）『新編 あたらしいこくご 一 上』10〜11頁

使い、男子は「ぼく」を使っている。

たとえば、図3-1は、二〇一五年から二〇二〇年まで使われた小学校一年生の国語教科書だ。「よろしくね」のページでは、女子が、「わたしは　かわのゆみです」と言うと、男子は、「ぼくのなまえは　もりけんたです」と言う。

他に、四社の小学校一年生用の国語教科書を確認したが、すべての教科書で、一貫して女子は「わたし」を使い、男子は「ぼく」を使っている。そして、どの教科書も、なぜ女子と男子が違う自称詞を使うのか、全く説明していない。

実は、このように何の説明もなく、あ

る言語イデオロギーをそのまま反映したことばの使い方をすることは、説明がある場合よりも、より強力にその言語イデオロギーを当たり前の考え方にする。なぜならば、説明しないことによって、女子が「わたし」を使い、男子が「ぼく」を使うことは、説明をする必要もないぐらい自然なことだとすることができるからだ。

しかし、男女が異なる自称詞を使うことは、それほど「当たり前の常識」なのだろうか。それを知るには、どのように自称詞が男女で異なるようになったのかを探る必要がある。

## 男女で異なる自称詞は明治時代につくられた

そもそも、いつごろから、日本語の自称詞は男女で異なるようになったのだろうか。それは、私たちが使っている近代日本語、いわゆる、「国語」と呼ばれているものがつくられた明治時代だと考えられる。

国語が制定された経緯については、第6章で詳しく見ていくが、ここで自称詞との関連で重要なのは、国語は「教育ある東京男子のことば」を基準にしていたという事実だ。

つまり国語は、男性がその第一の話し手であることを前提にして、口語文典（口語文法書）や国語読本《とくほん》（国語教科書）を通して教えられていったのだ。

その背景には、明治政府が男性を第一の国民と考え、女性を二流国民と考えていたという事情がある（小山一九九一）。私たちは第2章で、明治民法の家制度においては、父に絶対的権力が与えられていたことを見た。国語には、このような男尊女卑の考え方が反映している側面があるのだ。

その結果、口語文典や国語読本には男性と結び付いたことばが「国語」として記載されていった。「教育ある東京男子」の一部である書生《しょせい》（男子学生）が使う「書生ことば」も、「ぼく・きみ」を中心に国語に含まれていった。

明治一九（一八八六）年という早い時期に新保磐次《しんぼいわじ》が書いた『日本読本』でも、すでに全六巻で「ぼく・きみ」が使われている。たとえば、一巻で三人の子どもが兵隊ごっこをしている挿絵には、「ボク　ハ　テヌグヒ　ヲ　ボウ　ニ　ツケ　テ　ハタ　ニ　スル。」とある（図3-2）。このように、文典や読本で国語として教えられる過程で、少なくとも「ぼく」は、男性だけが使う自称詞として国語の中に位置づけられたと考えら

ミンナ デ テウレン セウ。
ボク ハ テヌグヒ ヲ ボウ
ニ ツケ テ ハタ ニ スル。
ボク ハ ハタモチ、イトウ
クン ハ タイシヤウ デス。
サア ミンナ ソロヒ タマヘ。
サトウ クン、ラツパ ヲ フキ タマヘ。
ススメ、ヒダリ、ミギ、ヒダリ、ミギ。

図3-2　新保磐次（1886）『日本読本初歩 第二』より

れる。

一方、いくつかの自称詞は、女性と結び付いているという理由で国語から除かれた。その典型例が、「あたい」だ。「あたい」は、金井保三の『日本俗語文典』（明治三四年／一九〇一年）と吉岡郷《きょう》甫《ほ》の『文語口語対照語法』（明治四五年／一九一二年）では、「女の用いる言葉」だという理由で、国語から排除されている。

けれども、同じ時期に男子が「あたい」を使っていたことを示す資料がある。たとえば、大江小波《さざなみ》の書いた児童文学『当世《とうせい》少年気質《かたぎ》』（明治二五年／一八九二年）に収録されている「鶏群《けいぐん》の一鶴《いっかく》」という題名のお話では、一二、三歳のうどん屋の小僧が、「私《あたい》が売るんだ」と「あたい」を使っている。

また、国語学者の岡野久胤《ひさたね》が、明治三五（一九〇二）年に書いた論文「標準語に就《つ》いて」の中で、男女で異なる東京語の例として挙げているのも、男児が「あたいにも、それを、おくんな」で、女児は「私にも、それを、頂戴な」である。

つまり、一部では男子も使っていた「あたい」ですら「女の用いる言葉」だと断定して排除するほど、「国語は男性のためのことばだ」という意識が強かったのだ。その意味では、この時点の「国語」においては、男女別の自称詞があったのではなく、男性のための自称詞しかなかったと言える。

国語学者の保科孝一《ほしなこういち》が明治四三（一九一〇）年に書いた『国語学精義』では、「小学校において教授すべきもの」として、自称詞「わたくし・わたし・ぼく・自分」、対称詞「あなた・君・おまえ」を挙げている。

しかし、女性も自称詞を使う必要がある。そのため、男性向けしかない自称詞の中から、男性と強く結び付いている「ぼく・自分」などを除いた「わたくし・わたし」が、次第に男女両方の自称詞とみなされるようになっていったのではないだろうか。

その後も庶民は、「あたい」をはじめとする、国語とは認められていない自称詞も使い続けていたようだ。しかし「あたい」は、明治時代の文法書が断定したように、「女の自称詞」とみなされるようになる。

大正一二（一九二三）年に東京下町で生まれた私の父は、中学に入学しても自分のことを「あたい」と呼んでいたので、友達にばかにされたと話してくれた。父が中学に入学したのは、昭和一〇（一九三五）年ごろだろうか。昭和に入ると、「男が女の自称詞を使うのは格好悪い」、つまり、「自称詞は男女で異なるべきだ」という意識が確立したようだ。

日本語の自称詞が男女で異なるようになった理由の一つは、国語が男性のためのことばとして制定されていったからなのだ。

## 異性愛規範を確実にする装置

ではなぜ、明治時代に比べたら男尊女卑が減少した現代でも、男女で異なる自称詞が使われ続けているのだろうか。それを知る方法のひとつは、今ある男女別の人称詞がどのような働きをしているのかを考えることだ。男女別の人称詞には、いくつかの働きがあるが、そのひとつが、「異性愛規範《いせいあいきはん》」を確実にする働きである。

男女がお互いに惹《ひ》かれ合うのは自然なことだと考えている人は多い。なぜならば、男女は、正反対でありながらお互いを補い合ってひとつの完結した対をなすと考えられているからだ。その根底にあるのは、男女が補い合って生殖が可能になるという考え方だ。

しかし、人間のセクシュアリティはこのように単純ではないことがさまざまな分野の研究によって明らかにされてきた。たとえば、人間には「靴フェチ」や「萌《も》え」のように、三次元の人間以外に向けた性的欲望がある。これは、人間のセクシュアリティが生殖を目的としたものだけに限らないことを示している。だとしたら、「異性愛」も、さまざまな人間の性的欲望の一形態に過ぎないことになる。

このように、「異性愛」を自然から切り離すと、「異性愛」をひとつの社会制度、つまり、「異性愛規範」としてとらえ直すことができる。異性愛規範とは、異性愛を唯一の自然で正当な性愛関係にみせかける働きをしている社会制度、人間関係、(言語)行為の全体を指す(カメロン&クーリック二〇〇九)。

「異性愛規範」という視点は、私たちが社会を理解する枠組みをひっくりかえす。異性愛を「自然」ではなく「制度」とみなすと、異性愛の前提となっている「男女は正反対である」という主張も作られたものであることになる。異性愛は、すでに正反対の男女が互いに惹かれあうことから自然に生まれたのではなく、むしろ、制度としての異性愛が、男女を正反対であるかのように描写してきたのである。

たとえば、「女らしさ」と「男らしさ」には、「小さい／大きい」「弱い／強い」「感情的／論理的」「私的／公的」「協調的／競争的」など、さまざまな対立する特徴が与えられている。これまでは、このように正反対の特徴を持つ男女が補い合って対をつくると考えられてきた。しかし、このように対立する特徴を男女に当てはめるのはおおざっぱすぎる。それは、「弱い」男性もいれば「強い」女性もいることから明らかだ。異性愛規範という考え方に従えば、むしろ、このように対立する特徴を男女に当てはめることで、異性愛を人間にとって必然的な関係だと思わせていることになる。

自然ではなく制度である「異性愛」は、常に補強されつづけなければならない。異性愛規範の大前提は、男女が明確に区別されていることだ。「あたし」と「ぼく」という男女の対立を際立たせる自称詞も、まさに毎日のやり取りの中で異性愛規範を確実にする装置のひとつとして見ることができる。

## LGBTを苦しめる「おれ」の男らしさ

男女別の自称詞が、異性愛規範を確実にしていることは、性的マイノリティが子ども時代を述懐したエッセーからも分かる。日本では、自分を名前で呼んでいた子どもも、小学校に入るころから親や先生に「わたし」や「ぼく」を使うように指導される。性的マイノリティの多くが、この指導に戸惑いを感じたと述べているのだ。

二〇〇三年に「性同一性障害」であることを公表して世田谷区議会議員になった上川あや（二〇〇七）は、幼い頃に自分を指すことばはずっと「あっちゃん」で、「ぼく」や「おれ」は使わなかったと述懐している。その理由は自分でも分からなかったが「どうしても言いたくなかった」という。

その理由を、明確に述べているのが、平野広朗（一九九四）である。平野も、周りの男子が「おれ」を使い始めた頃に、どうしても「おれ」を使えなかったと述懐している。そして、ゲイであることを受け入れた今なら、その理由がわかるという。それは、平野にとって「おれ」を使うことは、男の内面の弱さを覆い隠して強く見せかける反面、男らしさで締め付けて身動きできなくしてしまうように感じられたからなのである。「オレする」男は、電車の中で思い切り股を広げてふんぞり返って座る男のイメージであり、「おれ・おまえ」の上下関係にあぐらをかいている男のイメージだったために、使えなかったと言う。

しかし、「おれ」と名乗ることが男らしい男の仲間入りを表明することだとみなされている子ども社会で、「おれ」を使わない男子は引け目を感じることになる。平野も、小学校低学年の頃から、周囲の友だちが次つぎと「おれ」を自称するようになっていくのに、自分ひとり「おれ」と言えずに取り残されたように感じたと述べている。そして、「おれ」と言える友だちに屈折した憧れを抱きつつ、自分はそうした「男」たちの輪には入れないこと、「普通」の男の輪に入れてもらえないことを悟ったのも、この時だったと述べているのである。

これは何も、性的マイノリティはだれでも自称詞に悩むと言っているのではない。セクシュアリティにかかわらず、自称詞をどのように理解するかは人によって異なるし、時間の経過とともに変化する。しかし、自称詞というものは、自分を自分で呼ぶときに使うことばであり、その人のアイデンティティをもっともはっきりと他の人に表明することばである。そのような「ことば」のレパートリーに、異性愛が埋め込まれているものしかないのだ。

これまで、日本語にさまざまな自称詞があることは、日本語の豊かさだとみなされてきた。けれども、今ある自称詞が話し手を〈女〉か〈男〉のどちらかとして表現するものしかないとしたら、日本語の自称詞はまだ十分に豊かではないとも考えられるし、もしかしたら、「I」だけの方がよっぽど使いやすいのかもしれない。

## 2 女子が使う「うち・ぼく・おれ」

自分にあてがわれた自称詞にしっくりこないのは、性的マイノリティに限らない。小中学生の女子の中にも「わたし」や「あたし」ではなく、「うち」「ぼく」「おれ」などを使う人がいる。これまで、小中学生の女子が「ぼく・おれ」を使うのは、「ちかごろの女子は、男子のように自己主張したいからだ」と言われてきた。しかし、このような説明には、女子がことばを使ってどのようなアイデンティティを表現しようとしているのかを理解しようとする視点がない。

以下では、女子が「うち・ぼく・おれ」を使うのは、「わたし」や「あたし」では、自分のアイデンティティをぴったり表現できないからだという視点から、つまり、女子のアイデンティティ創造という視点から考えてみたい。

## 女子は「ぼく・きみ」を使いつづけてきた

まず、はっきりさせておきたいのは、女子は何も最近になって「ぼく」を使い始めたのではないという点である（中村二〇一二）。

先に述べたように、「ぼく・きみ」は、明治時代になって登場した「書生（男の学生）」が使っていた「書生ことば」から来ている。明治五（一八七二）年の学制により初めて公式に学生となった女子は、自分たちは女子学生ではなく男子と同じ「学生」になったと考え、男子と同じ袴《はかま》をはき、後に「書生ことば」と呼ばれる男子の言葉づかいをする者もいた（図3-3）。

明治八（一八七五）年の『読売新聞』（一〇月三日）には、女子学生が「ぼく・きみ」

を使って話している次のような会話が載っている。

「おちやさん僕《ぼく》の北堂《ほくどう》がね先日《せんじつ》お前《まえ》はモウ他《た》へ嫁《か》さないと時《とき》が後《おく》れるから人《ひと》に依頼《いらい》して置《おい》たと申《もうし》ましたが否《いや》なこと（以下略）」

（おちやさん、私の母が先日、おまえはもう結婚しないと結婚できなくなってしまうから、人に頼んでおいたと言っていたが、嫌なことだ）

図3-3　明治10（1877）年ごろの男子学生の袴をはいた女子学生（唐澤 1958より）

「本《ほん》とうにそうですよ曖昧《あいまい》とした亭主《ていしゅ》なんぞを持《もっ》のは不見識《ふけんしき》ですよ君《きみ》きツと北堂《ほくどう》へ断《ことわ》りたまえ」

（そうですよ。夫など持つのは良くないです。あなた、お母さんに断りなさい）

女子が男子のような言葉づかいをするのはけしからんという批判は、明治時代を通して見つけることができる。巌本善治《いわもとよしはる》は、明治時代に女性の教育を向上する目的で『女学雑誌《じょがくざっし》』を発行した女子教育家だが、明治二三（一八九〇）年に『女学雑誌』に掲載した「女性の言葉つき」の中で、女子学生が、「君」「僕」を使っていることを批判している。『読売新聞』に明治三八（一九〇五）年に掲載された「女学生と言語」も、「僕」「君遊びに来玉《きたま》えな」を女子学生が使っていることを批判。作家の岡田八千代も、一九五七年に『言語生活』に掲載された「此頃《このごろ》の言葉」の中で、明治四三、四年ごろの女子学生が、「おい、何を気取《きど》っているんだ」「おい、おれの神妙《しんみょう》なことを見ろよ」などの乱暴な言葉を使っていたと回想している。これらの批判は、「男のようなことば」を使う女子学生が明治を通して常に存在していたことを示している。

昭和に入っても、同様の批判は続く。国語学者の保科孝一は、一九四二年の『大東亜《だいとうあ》共栄圏《きょうえいけん》と国語政策』の中で、「近来《きんらい》学生の用いる人代名詞「君」や「僕」を、女学生の間でも用いるものがあるようですが、これは一種の変態でありまして、わが国においては、男子と女子との間に、その用法が厳重に区別されているのが常例《じょうれい》であります」と女子学生の中に「きみ・ぼく」を使う人がいると批判。

さらに、このような批判は、戦後から現代まで続いている。日本の女子は、明治時代に男女別の自称詞がつくられてからずっと「ぼく・きみ」を使ってきた。「ちかごろの女子」だけの現象ではないのだ。だとしたら、考えるべきは、小中学生の「少女」という特定の期間の女子のアイデンティティである。

## 突然の「わたし」への変身

「少女期」とは、「わたし」という自称詞を使うことで表明される〈大人の女性〉になる前の段階である。幼児期には、自分の名前や愛称、「名前+ちゃん」と自称する子どもが多い。家族がそう呼ぶからだろう。小学校に入学する頃には、幼児期の「○○ちゃん」から「わたし」(女子の場合)と「ぼく」(男子の場合)に変えるように指導されるが、この距離が男女で異なる。

女子の場合、幼児期の「○○ちゃん」から、「わたし」へといっきょに〈大人の女性〉と同じ自称詞になる。一方男子は、小さいときには「○○ちゃん(くん)」を使い、次第に〈少年性〉に印づけられた「ぼく」を経て、完全な大人になったら「わたし」も時には使うというゆるやかな道筋が用意されている。「わたし」に比較して「ぼく」は〈大人度〉がずっと低い。男子でも大人になれば「わたし」を使う機会もあるだろうが、小学生で「わたし」を使う男子がいたら、非常に大人びた印象を受けるのではないだろうか。つまり、今ある自称詞には、〈少女性〉に印づけられた若々しいものがないのだ。

では、少女にとって「大人の女性になる」ということは、どのような意味を持っているのだろうか。

## 「異性愛市場」の出現と「女」になることへの不安

社会言語学者のペネロプ・エカート（Eckert 2001）は、アメリカの小学五年生を観察し、子どもたちの成長過程で「異性愛市場」が出現することを指摘している。異性愛市場とは、少女と少年が異性愛のカップルとして「つきあう」ことが子ども同士の関係や地位を秩序付ける場を指す。

これが「市場」と呼ばれているのは、カップルが驚くべき短期間にくっついたり離れたりするからで、あたかもその子どもの価値が市場での交換価値のようになるからだ。

さらに、カップル同士よりも「仲介人」（手紙を渡したり、「あの子があなたを好きだ」と伝える子）の役割が大きい点も市場と似ている。

異性と付き合うことが、子どもから大人に成長する証《あかし》だと考えられているため、この市場に参加するクラスの一部の子どもたちは、他の子どもたちよりも成熟している「おませ」だとみなされる。それぞれの子どもの地位は、異性にとってどれだけ魅力的か、あるいは、カップルを成立させる有能な「仲介人」になれるかどうかという、まったく新しい基準で決められるようになる。

異性愛市場では、カップル同士ではなく、この市場に参加する同性の友人間の地位や絆《きずな》が重視される。異性と付き合うことは、同性の友人同士が親密に語り合う格好の話題を提供してくれる。異性愛市場は、セクシュアリティというよりも、同性間の親しさや地位の違いにかかわっているのだ。

同時に、異性愛市場に参加することは、男女で異なる異性愛セクシュアリティの枠組みを受け入れることになる。異性愛規範によると、〈女〉の性的欲望は受動的で、〈男〉の性的欲望は能動的ということになっている。この枠組みでは、〈女〉は能動的な欲望を持った〈男〉の性の対象物とみなされる。性の対象物とは、たとえば、「痴漢《ちかん》」の被害にあう可能性があるということだ（現実には、子どもも性犯罪の被害に遭っているのだが）。

このような枠組みは、少女にジレンマをもたらす。性の対象物になるということは、男性の性的欲望による危険や恐れを自覚することでもあるからだ。橋本治（一九八四：一七四）は、「少女達は性に目覚めると同時に自分のうちにあるひとつの危険を抱えこみ、それを殊更に自覚することになる」と表現している。

異性愛の「大人の女性」になるということは、性愛の対象になりたいという欲望と、なってしまうと性の対象物にさせられてしまうというジレンマの中で、微妙なバランスを保って生きていくことなのである。少女にとって「大人の女性になる」意味のひとつは、この異性愛の女性的セクシュアリティのジレンマを引き受けることなのである。

異性愛市場の入り口にいる女子は、女性的セクシュアリティのジレンマに早めに突入する〈おませ〉となるか、子ども扱いされる〈おくて〉でいるかという選択を迫られている。異性よりも同性との関係が重要な多くの少女は、このどちらにもなりたくない。

## 新しい〈少女性〉の創造

この異性愛の女性的セクシュアリティのジレンマを象徴しているのが「わたし」という自称詞である。「わたし」を使うことは、異性愛の「大人の女性になる」ことなのである。そう考えると、少女が「わたし」を使わない理由を理解することができる。

少女たちは、性の対象物である〈おませ〉にも、友だちから相手にされない〈おくて〉にもなりたくないから「わたし」以外の自称詞を使う。いつか「大人の女性」のジレンマを引き受けなければならないときが来るまでは、どちらの選択もしたくないのである。

新しい自称詞といっても、いきなり自分のことを「パピポ」などとまったく新しいことばを使っても理解してもらえないので、身近にある男子の「ぼく・おれ」や、関西方言の自称詞である「うち」を借用したのである。

少女が「ぼく・おれ・うち」を使うのは、決して男のようになりたいからではなく、そもそも日本語には「○○ちゃん」から「わたし」へと突然「大人の女になる」自称詞しか用意されておらず、〈子ども〉でも〈女〉でもないアイデンティティを表現することばがないからなのだ。

このことに気づくと、少女の用いる「ぼく・おれ・うち」は、むしろ、新しい〈少女性〉の創造であることが分かる。この意味で、少女の言葉づかいは、ことばの不足を超越した創造的な行為だといえる。自分たちにぴったりのことばがない以上、これからも少女たちはさまざまな自称詞を創造しつづけるだろう。

もちろん、小中学生女子に「ぼく・おれ・うち」を使う理由を聞いても、「異性愛の女性的セクシュアリティのジレンマを避けたいから」などと答える人はいないだろう。小中学生の段階で、そこまで自覚的に自称詞について答えられる人はいない。「周りの友だちが使っているから」とか「何も意識していない」という人の方が多いだろう。一方で、そんな当事者など気にせずに、少女たちが創造した〈新しい少女性〉を、しっかり女性的セクシュアリティの枠組みに取り込んでいる分野がある。

## 「ボクっ子」を消費する

A「ボクはいいけどあんな言い方したら、キミに失礼だよ、全く。ねえ？ ……ねえ？」
B「いや、だって本当のことじゃない」
（桜井二〇〇一）

これは、恋愛シミュレーションゲームの代表作『ときめきメモリアル』の続編『ときめきメモリアル2』に登場するメインヒロインである女子高校生と、プレイヤーとの会話である。Aが女性でBが男性の発言だ。しかも「ボク・キミ」を使っているAは、「料理、洗濯、お掃除、全部おまかせ‼　というしっかり者の女の子」という設定である。

このゲームでは、異性愛の対象として架空の女子高校生を造形するために会話が用いられているが、いわゆる「女らしい言葉づかい」はまったく使われていない。むしろ、ゲームの製作者は、女子高校生の〈若さ・無垢《むく》・清純さ〉と相容《あいい》れない〈大人の女性〉と結び付いた「女ことば」を避けている。

そもそもゲームやアニメでは、「ぼく」を使う少女キャラクターは珍しくない。自分を「ぼく」と呼ぶ「ボクっ子」は、「おれ」に象徴される、八三頁で平野が指摘していたような男らしさに縛られた〈男〉でもないし、「あたし」に象徴される、女らしさに縛られた〈女〉でもないところがその魅力だ。本田透（二〇〇五）は、「ボクっ子」が人気なのは、身体は女性だが精神的にはまだ女性になりきっていない無垢なキャラクターが好まれるからだと述べている。

つまり、女性的セクシュアリティのジレンマを保留するために少女たちが使っている「ぼく」が、『ときめきメモリアル』では男性の性の対象物として消費されている。セクシュアリティを保留している状態自体が、セクシュアリティの発現とみなされている。セクシュアリティとは無関係な〈新しい少女性〉を創造しようという少女たちの試みは、異性愛エロスの商品化に組み込まれてしまったのである。

ところがどっこい、「ボクっ子」は、さらなる進化を遂げている。

## 「ぼくは望んで妊娠しています」

右の見出しを読んで、いよいよ男性も妊娠できる時代になったのかと考えた人は、「「ぼく」は男性の自称詞だ」という考え方に凝り固まっているのかもしれない。

二〇二〇年一一月に、アイドルグループ、でんぱ組.incの元メンバーでタレントの最上もが（当時三一歳）が、インスタグラムに、妊娠したことと結婚の予定はないことを報告した。それに対して、さまざまな声が上がっていることに、「ぼくは望んで妊娠しています」とつづったのだ。

ニュースを読んだ人の中には、最上が自分を「ぼく」と呼んでいることを「公式なコメントのマナーに反している」と批判する人もいた。

しかし最上は、これ以外にも、「現にぼくは失敗作だったと言われたことがあります」や「ぼくのなかの〝正解〟、は生まれてくる子にたくさんの愛情を注いで、一生懸命育てていくことだと思っています」と、一貫して「ぼく」を用いている。

その理由は、最上が以前から「ぼく」を使っていたからだ。最上自身も、アニメっぽいキャラクターであり、自分でも、長い間「ぼく」を名乗ってネットゲームを行っていたと話している。最上が、私生活でも「ぼく」を使っているかどうかはわからないが、仮想のアニメと現実の中間とでも呼べる半分仮想のSNSの書き言葉で自分を表現するには、「ぼく」が一番しっくりくるのだろう。

このように、最上の「ぼく」使用は、ゲームやアニメで「ボクっ子」キャラクターが受け入れられていることを背景にしている側面がある。そして、先にも述べたように、「ボクっ子」キャラクターの魅力は、女になる前の状態のまま大人になったような、既存の女らしさから自由な点にある。

その意味で、最上の「ぼく」使用は、本章で見てきた、少女期の「女性的セクシュアリティの保留」と無関係なのではなく、むしろ、小中学生女子の「少女性の創造」の進化系だと考えることもできる。〈新しい少女性〉をセクシュアルに消費させていたゲームやアニメのキャラクター造形が、今度は、少女の年齢を超えた女性の「ぼく」使用をうながす下地になっているのだ。

このように、有名人やゲーム、アニメで「ぼく」を使う女性や少女を目にする機会が増えてくると、女子が「ぼく」で自称する垣根はずっと低くなるだろう。そうなると、「女性的セクシュアリティの保留」というよりも、そういった女性たちが「ぼく」で表現しているアイデンティティに共感して、自分も同じようなアイデンティティを表現したいと考えて、「ぼく」を使い始める場合も予想される。

「わて」と「あんさん」

小中学生が今ある自称詞以外のもので自分のアイデンティティを表現しようとしていることは、メディアで使われている自称詞を積極的に利用していることからも明らかだ。私の息子が小学校一年生の時に、突然、自分を「わて」と言い出した。関東圏に住んでいた私の周りで「わて」を使う人は見当たらない。しいて言えば、テレビドラマの『渡る世間は鬼ばかり』に出演していた京唄子が「わて」と言っていた。けれども、小一の息子はこの番組は見ていない。そうこうするうちに、あっという間に息子の友人たちも「わて」を使い始めた。

私は、「わて」を使う関東圏の小一男子が、相手のことは何と呼ぶのかと、彼らの会話に聞き耳を立てた。すると、向かい合って話していた男子が、次のように言ったのだ。

「わては、これでいいけど、あんさんは？」

「あんさん！」これで、気づいた。当時流行《はや》っていたミニ四駆のアニメ『爆走兄弟レッツ&ゴー』に出てくる、おさるの顔をしたお金持ちのおぼっちゃま（三国藤吉）が「わて」と「あんさん」を使っていたのだ。

小学生でも、すきあらば、あてがわれた「わたし・ぼく・おれ」以外の自称詞を使って自分たちに特有のアイデンティティを表現しようと、メディアからも借用している。ことばによって自分を表現することの大切さに、気づいているのだ。

## 3　ことばを変えることで関係を変える

当然、自分を表現するだけでなく、相手との関係を調整する場合にも、ことばが意識される。そもそもアイデンティティは、自分一人で表現できるものではなく、相手との関係の中から立ち現れるものだ。

ことばと人間関係に関しては、二つの考え方がある。ひとつは、先に関係があって、それに従ってことばを使うという考え方だ。学校の生徒と先生のあいだには上下関係があるから、生徒は先生に敬語を使う。

もうひとつは、ことばを変えることで関係を変えるという考え方だ。いくつかの企業で行われている「さんづけ運動」も、その一例だ。

グローバル化が進んだ二〇〇〇年代を生き残るためには、会社も若い社員の意見を取り入れて変わらなければならない。そのためには、会議でも若い社員が自由に意見を言える環境を整える必要がある。これまでのように、社員が上司を「課長」や「社長」と呼んでいたのでは、上下関係が意識されて発言しにくい。そこで、お互いを「中村さん」「鈴木さん」と「さん」をつけて呼ぶことが提案された。社内の人間関係を変えるために、まず注目されたのがことばだった。

また、子どもに下の名前で呼ばせる親が意図していることも同様だ。「お父さん」や「お母さん」ではなく、「しゅうさん」や「まゆみさん」と名前で呼ばせる（「ママと呼ばないで」『日本経済新聞』二〇〇八年四月一四日夕刊）。

私が初めて『クレヨンしんちゃん』を見たときは、母親を「みさえー」と呼ぶ「しんちゃん」に驚いたものだ。しかし、子どもに下の名前で呼ばせている人の話を聞くと、「自分が親との関係で苦しんだから、自分の子どもとは対等な関係でいたい」と言う。

ここでも、呼び方を変えることで、親子の関係も変えようとしている。

二〇〇一年に厚生省の医療サービス向上委員会は、『国立病院等における医療サービスの質の向上に関する指針』の中で、これまでの医者と患者の上下関係を見直し、患者中心の医療を促進する目的で、患者を「患者様」と呼ぶことを提唱した。これも、呼び方を変化させることで、医者と患者の関係が変化することを期待している。

しかし、「患者様」と呼ばれることに、「よそよそしさと冷たさを感じる」という意見があり、また、一部の人の「誤った権利意識」を助長しているとの指摘があったため、また「患者さん」に戻した病院もある（たとえば、二〇一二年の宇都宮病院の例）。この例も、呼称が関係をつくる力を意識した対応だろう。

二〇一九年八月一四日の『朝日新聞』には、甲子園に出場した千葉県の習志野高校野球部について、「習志野に学年の垣根なし　タメ語ＯＫ、理不尽な規則なし」という記事が載った。先発に六人の二年生が並ぶチームで、後輩が萎縮してしまっては勝てないと考えた三年生が話し合い、「部則」を見直していった。見直したひとつが、先輩への敬語だ。その結果、上級生と下級生の良いチームワークが生まれたという。

これらの例を見ると、相手が「自分のことは、こう呼んでくれ」と言ったときにも、「めんどくさい人だ」などとは言えない。二〇二〇年の上半期NHK連続テレビ小説『エール』で、歌の先生である「御手洗《みたらい》清太郎《きよたろう》」は、ヒロインの「関内《せきうち》音《おと》」に、「先生はやめて。堅苦しいの、嫌いなの。私とあなたはフレンズよ」「ミュージックティーチャーと呼びなさい」と言う。その後の放送回で、「御手洗」が自分の先生とは辛《つら》い関係にあったことが明かされた。

　また、だれかが「こういうことばは社会の差別を持続させてしまう」と言ったときにも、「ことばなんて些細《ささい》なこと」と無視することもできないだろう。世の中には、ことばを変えても社会は変わらないと考える人もいる。けれども、ここで見てきたように、ことばを変えることで社会を変えようとしている人たちもたくさんいるのだ。人々が、これだけ自称詞や呼称にこだわるのは、まさに、ことばが関係をつくり、その関係の中で自分のアイデンティティもつくられるからなのだ。

　第2章と第3章では、名前と呼称について見てきた。次章では、そもそも、どのように「ことば」とアイデンティティが結び付くのか見ていこう。

# 第4章

# 「ことば」とアイデンティティの結び付き

これまで、名前や呼称の例から、ことばがアイデンティティの表現に重要な役割を果たしていることを見てきた。ことばでアイデンティティを表現できるということは、ことばがアイデンティティと結び付いているということだ。しかし、そもそも、どのようにして、ことばはアイデンティティと結び付くのだろうか。本章では、それを考えてみたい。

## 1 言語要素

まず、「言語要素」という用語を説明しよう。言語要素とは、音・単語・文などのことばの要素を指す。ことばには、いろいろなレベルがある。音があり、音が集まった単語があり、単語が集まった文もある（実は、他にももっといろんなレベルがあるが、ここでは触れない）。音と単語と文は、それぞれ違う特徴を持っているのだが、共通した特徴もある。この共通した特徴について語るときに、いちいち「音と単語と文」と言っていては読みづらいので、これらをまとめて言語要素と呼ぶ。

そして、ことばの意味を考えるときには、まずは言語要素と意味の結び付きを考える。

「意味」にも、内容に関わる意味と、それ以外の意味（しばしば、「社会的意味」と呼ばれる）を区別することができる。たとえば次の、（a）「虹だ」と（b）「鳥だ」は、〈虹〉と〈鳥〉という「内容に関わる意味」が違う。一方（c）「花だ」と（d）「花です」は、内容は同じ〈花〉だが、丁寧さなどの細かなニュアンスが違う。つまり、「社会的意味」が違う。だから、内容も違うとも言える。さらに、どう違うかは、実際の場面で使われることで変わる。

（a）虹だ
（b）鳥だ
（c）花だ
（d）花です

すぐ分かるように、内容に関わる意味は、主に名詞や動詞、形容詞などで表現され、社会的意味は、主に文末詞や人称詞で表現されることが多い。

アイデンティティの表現には、内容に関わる意味だけでなく、「社会的意味」が大きな役割を果たす。なぜならば、「この絵のテーマは何ですか」と聞かれて、「花だ」と答えるのと「花です」と答えるのとでは、相手との関係が違うからだ。「花だ」だと、相手と近いが少し上から目線の関係で、「花です」だと、丁寧だが相手と距離のある関係とでも表現できるような違いだ。

そして、何度も繰り返し述べているように、関係が違うということは、表現しているアイデンティティも違ってくる。そこで以下では、特にことばの「社会的意味」に関して見ていく。

## 「スタンスと特質」と「社会的アイデンティティ」

社会的意味は、「スタンス（stance）と特質（quality）」と「社会的アイデンティティ」の二つに分けられる。

「スタンス」とは、話している内容や聞き手に対する話し手の距離感を指す。話している内容に対するスタンスとは、たとえば、「明日は晴れる」と「明日は晴れるらしい」

では、話し手が話している内容（明日は晴れる）に対して持っている確信度が違う。「らしい」を使うことで、話し手は〈低い確信〉というスタンスを示すことができる。

そう考えると、天気予報の「明日は晴れるでしょう」の「でしょう」は、絶妙なスタンスを表していることがわかる。これが、「明日は晴れる」と断言してしまうと、雨が降ってしまったら、「晴れると言ったのに」と文句を言われる。「明日は晴れるらしい」と言えば、「天気予報なのに「らしい」とは何事だ」と、これまた文句を言われる。「でしょう」はこの中間で、ある程度確信できるぐらい、きちんと調べたが、天気なので断言できないというニュアンスが伝わる。

聞き手に対する話し手の「スタンス」の例としては、第5章で詳しく説明する、丁寧体「です・ます」と普通体「だ」を挙げることができる。「いい季節ですね」と「いい季節だね」では、聞き手とのスタンスが違う。「です」の方が聞き手との距離が遠く、「だ」の方が近い感じがする。この距離を「ちょうどよい」と感じるか「なれなれしい」と感じるかは、話し手と聞き手の関係や、会話の目的と場所、さらに、丁寧体と普通体に対して両者が持っているイメージによって異なる。

もう一方の「特質」とは、〈丁寧だ／無礼だ〉や〈形式的だ／カジュアルだ〉のような、さまざまな程度の特性を指す。たとえば、「人との接し方においては、丁寧さが大切だ」と考えられている日本のような集団では、「いい季節ですね」と「いい季節だね」を使い分けることで、相手に対する〈丁寧さ〉を調整する。

そして、「社会的アイデンティティ」とは、第1章で、「マクロ、メソ、ミクロ」という三つの側面に分類した、さまざまなアイデンティティ全体を指す。復習になるが、もう一度挙げておく。

1　年齢、ジェンダー、国籍や人種、社会階級のように、その社会全体で広く受け入れられているマクロなアイデンティティ
2　ある集団に特定のメソ（マクロとミクロの中間）なアイデンティティ
3　会話のやり取りの中の、ミクロなアイデンティティ

この中に、どのようなアイデンティティが含まれるかは、その社会で、何に価値があ

るかによって異なるので、「社会的アイデンティティ」と呼ばれる。

## 直接的な結び付きと間接的な結び付き

社会的意味を、「スタンスと特質」と「社会的アイデンティティ」の二つに分けるのは、言語要素は、直接的にはスタンスや特質に結び付き、社会的アイデンティティとは間接的に結び付くからだ（Ochs 1992）。

たとえば、「おいしいわ」の「わ」と「おいしいぞ」の「ぞ」は、それぞれ〈やわらかさ〉と〈強さ〉という「特質」と直接結び付いている。この〈やわらかさ〉と〈強さ〉という特質が、日本のイデオロギーでは〈女らしさ〉と〈男らしさ〉に結び付けられているために、「わ」と「ぞ」が間接的に〈女らしさ〉と〈男らしさ〉にも結び付けられる。「わ」と「ぞ」は、〈やわらかさ〉と〈強さ〉という社会的意味を介して、〈女らしさ〉と〈男らしさ〉という社会的アイデンティティに間接的に結び付いているのである。

この関係は、【言語要素】→【スタンスと特質】→【社会的アイデンティティ】とい

**【言語要素】**
（例「わ」「ぞ」）

↓ 直接的結び付き

**【スタンスと特質】**
（例〈やわらかさ〉〈強さ〉）

↓ 間接的結び付き

**【社会的アイデンティティ】**
（例〈女らしさ〉〈男らしさ〉）

図4-1 「言語要素」「スタンスと特質」「社会的アイデンティティ」の関係

う図式で表すことができる（図4-1）。図4-1では【スタンスと特質】はひとつの【 】に入っているが、【言語要素】が結び付いている【スタンスと特質】はたくさんある。

言語要素と意味の関係をこのように直接的と間接的に分けるのは、言語要素がいつも特定の社会的アイデンティティを表現するわけではないからだ。

たとえば、運動会の応援リーダーが（女子でも男子でも）「勝つぞー」と言ったときは、〈男らしさ〉を示しているというよりも、〈強さ〉という特質を表現していると理解されるだろう。

つまり、〈女らしさ〉や〈男らしさ〉と結び付いている言語要素を用いたとしても、必ずしも〈女らしさ〉や〈男らしさ〉を表現しているわけではないことが説明できるようになるのだ。

### 言語イデオロギー

もうひとつ図4‐1で重要なのは、「↓」で示されている結び付きが、その言語要素が使われている集団の「言語イデオロギー」によって左右されるという点だ。

「言語イデオロギー」とは、話し手がことばの「使い方」に関して持っている信念や意識を指し、ことばの使い方に関して、その社会で広く支持されている考え方を指す（Woolard and Schieffelin 1994）。

「わ」と「ぞ」の例で言えば、先に挙げたように、日本には「女らしさ」を〈やわらかさ〉と結び付け、「男らしさ」を〈強さ〉と結び付けるジェンダー・イデオロギーがあり、それに加えて、「男女は話し方が違う方が良い」、つまり、〈女らしさ〉と〈男らしさ〉を言葉づかいの側面から区別したいという言語イデオロギーがあったために、このような結び付きが生じたと考えられる。これは、「わ」や「ぞ」のような個別の言語要素を意味と結び付けている言語イデオロギーだ。

また、第1章で、日本では「日本人なら日本語を話すはず」という考え方が根強いので、日本語を話しているだけで、〈日本人〉というアイデンティティを表現できると述べたが、この「日本人なら日本語を話すはず」という考え方も言語イデオロギーだ。これは、「日本語」のような言語全体にかかわる言語イデオロギーだ。

さらに、「目上の人には敬語を使うべき」というのも、敬語というひとつの話し方に関する言語イデオロギーである。この例の「べき」に表れているように、広く普及した言語イデオロギーの中には、ルールや常識になるものも出てくる。だから、広く普及した言語イデオロギーは、実際にことばを使う時にも大きな影響を与える。

しかし、ことばを使う場面には複数の言語イデオロギーが関与している。言語イデオロギーは常に相反するイデオロギーと併存しているため、言語要素には複数の意味が結び付く。つまり、言語要素の意味は不確定なものなのだ。特に、ことばの使い方に関する考え方が変化しているときには、複数の言語イデオロギーが作用することが多い。

たとえば、敬語の使い方に関しても、第5章で詳しくみるように、「目上の人には敬語を使うべき」という考え方と同時に、「目上の人でもいつも敬語で話しているばかりでは距離が生じてしまう」という考え方がある。

また、方言に関する言語イデオロギーには、近年特に大きな変化がみられる。第6章で見るように、「方言を話すのはカッコ悪い」という考え方から「方言はカッコイイ」という考え方への変化がみられるのだ。

ここで、「イデオロギー」という用語が使われているのは、言語イデオロギーは社会の一部の人たちの得になる考え方だという理解があるからだ。「男女は話し方が違う方が良い」や「目上の人には敬語を使うべき」、そして、「方言を話すのはカッコ悪い」という考え方は、どのように社会の一部の人の得になるのだろうか。詳しくは、第5章以下を見てほしい。

## 2 指標性

では、言語要素と「スタンスと特質」、さらに、「社会的アイデンティティ」は、どのように結び付くのか。その結び付きを形成するのが「指標性(indexicality)」だ。

記号学者のチャールズ・サンダース・パースは、意味との結び付き方によって、記号

| | 「記号」 | 〈結び付きの性質〉 | 〈意味〉 |
|---|---|---|---|
| (1)イコン | 「ワンワン」― | 類似性 | ―〈犬の鳴き声〉 |
| (2)指標 | 「けむり」― | 近接性 | ― 〈火〉 |
| (3)シンボル | 「イヌ」― | 恣意性 | ― 〈犬〉 |

図 4-2　記号と意味の結び付き

を「イコン」「指標」「シンボル」の三つに分類した（図4-2）（池上一九八四）。イコンとは、記号と意味の間に類似性のあるもので、言語の例では犬の鳴き声の「ワンワン」などがある。指標とは、目の前で火が燃えていなくても、煙があれば、そこに火があることを示すように、記号が意味を指示する（指さす）近接関係にあるものを指す。シンボルとは、「イヌ」のように記号と意味の関係が恣意的なものを指す。犬を「イヌ」と呼ぶ理由がないことは、他の言語ではさまざまに呼ばれていることから分かる。この恣意的な関係から、ほとんどのことばはシンボルに相当する。

しかし、よく考えると、どの記号もさまざまな程度でこの三つの性質を持っている。たとえば、犬の鳴き声は、日本語では「ワンワン」だが、英語では「バウワウ（bow wow）」なので、「ワンワン」にもシンボル性がある。また、子どもは犬がほえる場面に遭遇するたびに、周りの大人が「ワンワン」と言うのを聞いて、「ワンワン」が犬の鳴き声を指し示していることを学ぶとしたら、「ワンワン」には指標性もあることになる。そのため、現在では、この三つは記号の種類と言うよりも、どの記号もさまざまな程度で持っている「イコン性」「指標性」「シンボル性」という性質だと理解されている。

記号学者のマイケル・シルヴァスティンは、この三つの記号の性質のうち、ことばが「社会的意味」を獲得する過程として指標性に注目した（Silverstein 2003）。指標性の最も大きな特徴は、近接関係にある意味を指し示すことだ。私たちは、火と煙が近くにある（近接関係にある）状態を何度も目にすることで、煙と火を結び付けるようになる。つまり、「けむり」という記号が〈火〉という意味と結び付くようになる。

同じように、言語要素は、それが使われている場面を指し示す。繰り返し似たような場面で使われる、つまり、特定の場面と近くにある（近接関係にある）状態で使われることで、言語要素はその場面のさまざまな特徴を指し示すことができるようになる。

「です」と「だ」の場合も、「です」の方がフォーマルな状況、丁寧な言いまわし、目上の人や初対面の人との会話に使われることが何度もあると、次第に「だ」よりも丁寧だという意味が結び付く。つまり、どんな状況で、他にどんなことばと一緒に、どんな人に対して「です」が使われるかで、「です」にさまざまな意味が結び付いていく。さらにいろんな場面で使われることで、「です」の意味は、絶え間なく変化していく。

けれども、ある言語要素が使われる場面にはさまざまなものがある。つまり、指標できるものはたくさんある。その中で、言語要素が、どの「スタンスと特質」、そして、「社会的アイデンティティ」と結び付いていくかは、どのように決まるのだろうか。それは、言語イデオロギーによって決まる。

たとえば、先に、「です」がフォーマルな状況、丁寧な言いまわし、目上の人や初対面の人との会話に使われる、という例を挙げた。この場合、可能性としては、「です」が指標できる場面の要素は〈フォーマルさ〉や〈話し手同士の関係〉などたくさんある。しかし、この集団では、「言葉づかいによって丁寧さを表現することが大切だ」という言語イデオロギーが広く意識されていたとすると、その場面のたくさんの要素の中から、〈丁寧さ〉が「です」と結び付いていくのだ。

## 3　メタ語用論的言説

右の例では、「です」が特定の場面に現れることで社会的意味を獲得していくことを見た。これに加えて、言語要素が意味と結び付いていく過程で、会話で使われる以上に重要なのが、「メタ語用論的言説（metapragmatic discourse）」である（Silverstein 2003）。

難しい用語だが、説明を読めばすぐ分かる。「です」の例で言えば、「目上の人には「八時だ」ではなく、「八時です」と言うべきだ」などと書いてある敬語のマナー本などを指す。

「メタ」とは「抽象度が一段高いレベル」という意味。たとえば、「花です」は花について述べているが、「「花です」の「花」は名詞だ」と言えば、言語を使って言語について説明している「メタ」なことばの使い方ということになる。「語用論」とは、ことばを、使われている状況の中で研究する分野を指すので、「メタ語用論的言説」とは、ことばの使い方に関してあれこれ評価している「言説」（ことばの集まり）、平たく言うと、「話し方について語ることば」ということになる。

哲学者のミシェル・フーコー（一九八一）は、言説とは「言説によって語られる諸対象を体系的に形成する実践である」と指摘している。フーコーは、私たちが何らかの知識や概念を持っているのは、人々がそれについてことばで語ってきたからだと考えた。語る対象が最初からあるのではなく、大勢の人がある現象に注目して、それについて語るようになる。するとそれらの言説が、その現象を社会的に意味のある知識や概念にすると考えたのだ。

以下の章では、フーコーの、「言説が対象を作り出す」という考え方を踏襲して、「方言」（第6章）や「女ことば」（第7章）のような概念も、その言葉づかいに「ついて語る」メタ語用論的言説によって形成されたことを示す。

メタ語用論的言説は、明確なものと、間接的なものに分けることができる。

明確なメタ語用論的言説とは、「目上の人には敬語を使うべきだ」と述べる例のように、ある話し方について明確に述べているものを指す。代表的なものには、政府が発行する白書や専門家の研究書、マナー本などがある。また、会話の中で、「そんな言い方失礼だ」のように、言葉づかいについてコメントする場合も、明確なメタ語用論的言説である。

一方、間接的なメタ語用論的言説とは、ある話し方を間接的に価値づける（良い／悪い話し方など）ものを指す。典型的には、テレビドラマや映画、コマーシャルなどで登場人物が特定の言葉づかいをする「フィクションの会話」を指す。高校のバスケットクラブを舞台にしたテレビドラマで、先輩は「○○だ」という普通体を使い、後輩は「○○です」という丁寧体を使っていたとしたら、この場面の会話は、視聴者に、先輩と後輩の関係を伝えているだけでなく、「高校のバスケットクラブでは、先輩と後輩は普通体と丁寧体を使って上下関係を表現する」ということばの使い方のルールも間接的に伝えていることになる。

メタ語用論的言説が重要なのは、「ことばはこのように使うべき」や「このようなことばの使い方は良い／悪い」ということばの使い方に関する特定の言語イデオロギーを広く普及させることができるからだ。そして、すでに指摘したように、言語要素がどのような社会的意味と結び付くのかは、言語イデオロギーによって決まるからだ。

## 4 「○○ことば」とアイデンティティ

ここまで、音・単語・文などの言語要素が意味と結び付く過程を見てきた。以下では、これらの言語要素が集まって構成される「○○ことば」について見る。なぜならば、私たちが細かなグループのアイデンティティを区別するために利用するのは、個々の言語要素ではなく、「○○ことば」だからだ。

ここで言う「○○ことば」（専門用語でスタイル〔style〕と呼ぶ）とは、いくつかの言語要素やジェスチャー、服装などが、ひとつのグループのアイデンティティと結び付いているものを指す。

たとえば、同じ高校に通う生徒の中でも、学校の行事に積極的に参加するグループは、標準語に近い発音で話し、明るい色合いの服装をするが、地元の友人との交流を優先するグループは、地元のことばに近い発音で話し、黒っぽい服装が多いというような違いである（Eckert 2000）。

どの言語にも、地域と結び付いた「○○弁」やジェンダーと結び付いた「女ことば」のように、さまざまな集団と結び付いた「○○ことば」があるが、スタイルは、より細かい区別に使用される話し方も含んだ概念である。

## クイーンズ・イングリッシュ（女王の英語）

「○○ことば」をつくる方法にはいろいろあるが、そのひとつに、非常に具体的な人物と結び付ける手法がある。典型的な人物と結び付くことで、その「○○ことば」は、その人物の「社会的アイデンティティ」に付随するさまざまなスタンスや特質を表現するために使えるようになる。

たとえば、英語のReceived pronunciation（RP：広く認められた発音）は、「教育ある人」という特定集団と結び付くことで成立した（Agha 2003）。

さらにRPは、クイーンズ・イングリッシュ（女王の英語）とも呼ばれる。「女王」という非常に具体的な人物と結び付くことで、まず、このような発音で話すことが、「教育ある言葉づかい」として認識される。次に、この言葉づかいが女王に付随する〈高い地位〉や〈高貴さ〉という社会的意味を獲得する。その結果、このような発音で話すことで、自分を〈高い地位〉や〈高貴さ〉を持った人間として表現できるようになるのだ。

クイーンズ・イングリッシュは、アイデンティティの材料（言語資源）となった段階で、女王でなくてもだれもが使える言葉づかいになる。この段階になると、実際に女王がそのように話しているかどうかは問題にならない。むしろ、さまざまな人が、自分を〈高い地位〉や〈高貴さ〉を持った人間として表現するために利用するようになると、女王が話している英語とは違ったものに変化していく。

「○○ことば」は、ステレオタイプな人物像と結び付いて、アイデンティティの材料として広く使われるようになると、その人物が実際に使っている言葉づかいとは違うものになっていく。その一例として、第6章では、方言が特定の人物像と結び付いていく過程で単純化していく「方言の凝縮」について見ていく。

## 外国語なまりの英語を話すディズニーアニメの悪者

では、どんな言葉づかいでも、特定のグループや具体的な人物と結び付くことで、「○○ことば」として成立するかと言うと、そうでもない。そのグループを他から区別する理由が必要になるのだ。どういうことか。

たとえば、ディズニーアニメの登場人物の言葉づかいを分析した研究によると、悪者の四〇%以上が外国語のアクセントで英語を話すのに、標準的な英語を話す悪者は二〇

%に満たない（Lippi-Green 1997）。アニメは、「外国語なまりの英語」を悪者に使わせるだけで、アニメを見る子どもたちに、外国人に対する偏見を植え付ける。「標準英語を話す善人」と「外国語なまりの英語を話す悪者」を区別して、「外国人は悪者だ」というステレオタイプを表現することができるのだ。

では、「○○ことば」の区別はどのように生まれるのか。私たちは、ある集団が特定の話し方をしているから、その話し方が自然に「○○ことば」になると考えがちだ。外国人が外国語なまりの英語を話すから、「標準英語」と「外国語なまりの英語」の区別が自然に成立したと考える。

しかし、なぜ「標準英語」と「外国語なまりの英語」の区別はあるのに、たとえば、「韓国語なまりの英語」と「日本語なまりの英語」の区別はないのか。それはアニメの制作者にとっても、視聴者にとっても、〈外国人〉を一緒くたに差別する必要はあっても、〈韓国系外国人〉と〈日系外国人〉を区別する必要がないからではないか。アニメに登場する善人には「韓国語なまりの英語」を話させて、悪者には「日本語なまりの英語」を話させるという区別に意味がないからではないのか。

## ネイティブ・アメリカンの高いほほ骨

私は、カナダやアメリカに行くと、きまって、「ネイティブ・アメリカン」に間違えられる。ネイティブ・アメリカンとは、コロンブスがアメリカ大陸を発見するずっと前から、かの地に住んできた先住民族だ。だから、ファースト・ネーション（第一の国民）と呼ばれることもある。

ネイティブ・アメリカンの法律支援を専門にしているある教授は、「モモコは、ナヴァホ（部族のひとつ）として通用する」と太鼓判を押してくれた。あまり間違えられるので、「どうして、ネイティブ・アメリカンだと思うのですか」と聞いたら、「高いほほ骨だ」と言われた。

「は？　タカイ、ホホボネ？」

恥ずかしながら、六〇年以上生きてきて、「ほほ骨」を意識したことなど全くないし、

「ほほ骨」に「高い」と「低い」があることなど考えたこともない。日本に住んでいて、

母「こんどの先生、どんな感じの人？」
娘「うん。ほほ骨の高い人だよ」

などという会話は想定すらしないだろう。

なぜ、北アメリカの人は、ほほ骨に目が行くのか？

ヨーロッパからアメリカ大陸にやってきた白人たちは、ネイティブ・アメリカンにひどい迫害を加えてきた。現在でも、ネイティブ・アメリカンは居留地に住まなければならなかったり、教育や就職で差別を受けている。

つまり、多くの北米の人たちにとって、ネイティブ・アメリカンは差別の対象であった歴史が長い。そのため、ネイティブ・アメリカンを自分たちと区別したいと考えるようになった。それには、身体的特徴が手っ取り早い。それが、「高いほほ骨」だ。

その結果、本当にネイティブ・アメリカンはほほ骨が高いかどうかに関係なく、ネイ

ティブ・アメリカンを自分たちから区別するために、「高いほほ骨」がネイティブ・アメリカンの特徴になった。だから、人を見たときに、連続した顔の表面の中から、ほほ骨に目が行き、ほほ骨が高いかどうかが気になるのだ。

この例は、私たちがすでに「ある」と思っている区別が、社会の差別のためにつくられる場合があることを教えてくれる。社会が、ネイティブ・アメリカンをその他の人と区別するために、ほほ骨に「高い」と「低い」という区別をつくったのだ。

同じように、「標準英語」と「外国語なまりの英語」の区別も、〈外国人〉を差別する目的のために成立したと考えられる。

## グループを区別する理由がないと「〇〇ことば」は成立しない

どうやら、「〇〇ことば」が成立する背景には、社会の区別や差別を支えるイデオロギー（社会に広く認められている考え方）が密接に関わっているらしい。使われるだけでは「〇〇ことば」にならないのだ。

「〇〇ことば」が注目されている理由は、ディズニーアニメの例で見たように、表立って人を差別することが許されない社会でも、「○○ことば」を駆使することで、その集団に対する差別やステレオタイプを目に見えない形で持続させることができるからだ。「○○ことば」が担っている、このような働きを明らかにするためには、ある集団の話し方が自然に「○○ことば」になったと考えるのではなく、「○○ことば」がどのような区別をするために成立したのかを明らかにする必要がある。

そこで「○○ことば」の成立過程を示してくれるのが、メタ語用論的言説だ。第6章と第7章では、「方言」と「女ことば」の成立過程をメタ語用論的言説から見ていく。「方言」や「女ことば」は、どのような区別をするために成立したのだろうか。「方言」や「女ことば」は、アイデンティティ表現の材料（言語資源）になることで、どのように姿を変えたのだろうか。

これらの問いを考える前に、第5章では、近年、私たちの意識が大きく変化している「敬語」を取り上げる。

# 第5章

# 敬語——「正しい敬語」から「親しさを調整する敬語」へ

二〇二〇年代の現在、敬語に対する意識が大きく変わっている。それは、私たちが望む人間関係も変えている。本章では、「敬語は正しく使わなければならない」という従来からある考え方に対して、「敬語も、相手を尊重しながら親しさも表現することばのひとつとして使いたい」という異なる考え方が生まれている状況を見ていく。

## 1　日本語の敬語体系

### 敬意（上下関係）と距離感（親疎関係）

日本語の敬語体系は複雑だが、大きく「対者敬語」と「素材敬語」に分けられる。「対者敬語」とは、話している相手に対する敬意にかかわる用法で、「素材敬語」は話題になっている人物に対する敬意にかかわる。

たとえば、例5-1で（a）と（b）で使われている「ました（「ます」の過去形）」は、話している相手に対する敬意と関係している。一方、（a）と（c）で使われている「いらっしゃる」は、話題になっている人物（鈴木さん）に対する敬意にかかわる。相手

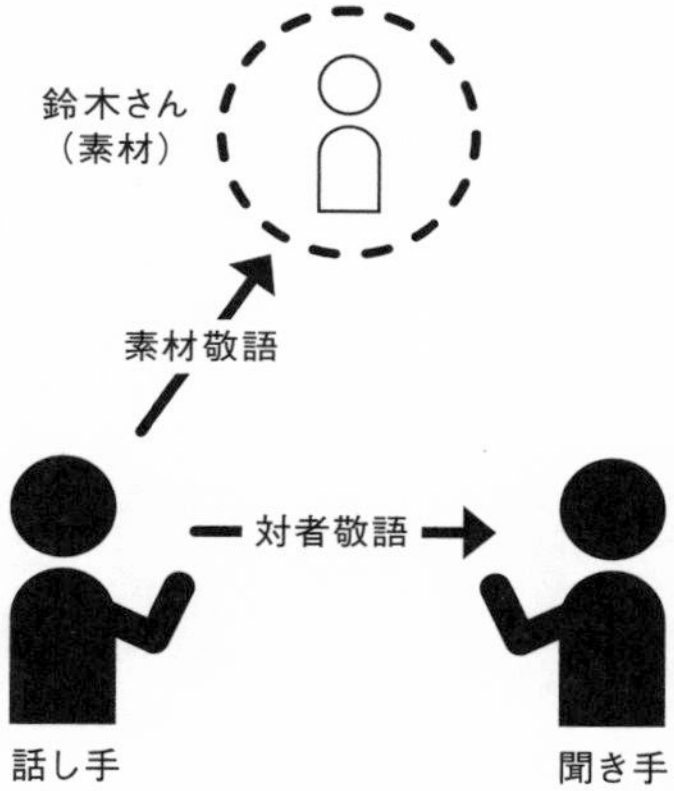

図5-1　「対者敬語」と「素材敬語」

に対する敬意とも、話題になっている人物（鈴木さん）に対する敬意ともかかわりがないのが、（d）である（図5-1）。

**例5-1**

（a）鈴木さんがいらっしゃいました。
（b）鈴木さんが来ました。
（c）鈴木さんがいらっしゃった。
（d）鈴木さんが来た。

対者敬語のうち、（a）（b）の「ました」のように「です・ます」を用いる話し方は丁寧体と呼ばれ、（c）（d）のように「だ（た）・である」を用いる普通体と区別される。

しかし、実際の場面で使われる敬語は、このように単純なものではない。「慇懃無礼《いんぎんぶれい》」ということばがあるように、ことばによる丁寧さは場面や話し手同士の関係などさまざまなものに影響を受ける。「です・ます」さえ使えば丁寧になるわけでもないし、「です・ます」だけが丁寧さを表現するわけでもない。また、「です・ます」と「だ」の違いは、〈丁寧さ〉だけではない。

さらに、丁寧体「です・ます」と普通体「だ」は、相手との距離感にもかかわる。敬意を表しているということは、相手と距離を置いていることにもなるからだ。そのため、一般に、丁寧体「です・ます」の方が、普通体「だ」よりも相手との遠い距離を表現する。

敬意（上下関係）と距離感（親疎《しんそ》関係）は、敬語使用に関わる二つの大きな要素だ。

## 2　日本人なら「正しい敬語をマスターすべき」――敬語イデオロギー

敬語は、日本語の重要な特徴だと考えられている。二〇〇〇年に、日本語の専門家が集まって話し合う「国語審議会」という会が発表した『現代社会における敬意表現』でも、敬語の重要性が強調されている。

日本語の敬語は、古代から現代に至るまで種々の変化をたどりながら、一貫して人間関係を踏まえた言葉の使い分けのための言語形式として存在してきた。したがって、敬語使用は日本の社会や文化の在り方を言葉遣いの上に反映するものであり、日本人の言語生活に重要な位置を占めている。

（文化庁二〇〇〇）

このように、日本語の専門家も、「敬語は重要だ」と発表している。この考え方が、さらに発展して、「日本人なら、正しい敬語を話さなければならない」から、「正しい敬語を話さないと恥ずかしい」という考え方が生み出された。

本書では、これらの敬語に関わるいろいろな考え方をまとめて、「敬語イデオロギー」と呼ぶ。「敬語イデオロギー」は、敬語に関する言語イデオロギーである。

私が、「敬語イデオロギー」を問題にするのは、実は、このような考え方が、敬語を通して他者を大切に思う気持ちを表現しようとするのではなく、時として、他の人を支配したり、非難するのに利用されることがあるからだ。

## 「社会人」に鍛えなおすという権力

日本には、諸外国にはない「社会人」という概念がある。だから、外国の人に「社会人」とは何かを説明するのは、とても難しい。

私は、「学生」と対比させて説明するようにしている。「学生」は、授業料を払って勉強をしている成長途中の人で、「社会人」は、成熟した大人で、仕事をしてお金を稼ぎ、自立している人だと説明するのだが、なかなか分かってもらえない。

なぜならば、諸外国では、ほとんどの学生が働いて自分で授業料を払って勉強しているし、会社で働きながら学校に通って勉強している年配の学生もたくさんいるからだ。日本のように、ほとんどの人が三月に学校を卒業して、いっせいに四月から会社で働くような社会でしか、「学生」と「社会人」を区別する意義は理解してもらえないのだろう。

それでも日本では、「学生が就職して社会人になる」ということは、当たり前のこととして受け止められており、企業はしばしば「新入社員研修」と銘打って、昨日まで学生だった新入社員に、社会人の心得を伝授する。中には、いろいろな企業に講師を派遣して新入社員研修を行う専門の会社もある。

新入社員研修の大きな柱になるのが、正しい敬語の使い方だ。敬語の使い方だけでなく、電話での応対、お辞儀の仕方、名刺の渡し方など、身のこなしや姿勢も教えられる。つまり、学生と社会人を区別する大きな違いのひとつは、敬語を含めた、相手への敬意を表現する方法を身に着けているかどうかなのだ。

このような文化は、外国の研究者にはとても興味深いらしく、社会言語学の分野でも、新入社員研修の現場で使われることばを研究したものがいくつかある。

その中で明らかになったことのひとつに、人を尊重し敬意をはらうための敬語の使い方を教えるはずの講師が、新入社員をことばで厳しく批判することがあるという事実だ。たとえば、ある新入社員研修を取り上げた研究によると、講師は次のように言って、研修を始める（Cook 2021）。

「最初から厳しいことをお伝えすると、今年のメンバーは今までみてきた先輩たちとくらべてだいぶ、この、マナーという観点から見ると、劣っています。先に言っておきます」

講師がこのように言う理由は、研修が始まる前に入り口に座っていた講師にだれもあいさつをしなかったからだ。

「どれだけ、みなさんの意識が学生気分から社会人に変わってないかってことですよね。社会人としてどうですか。知らない人がいる。座ってる。おそらく自分たちより年上だ。しかも、ここに座ってるってことは、何らかの研修に関わってる人だ。そのぐらいの想像つくじゃないですか、だれでも。(中略)ありえないですよ。社会人として」

実は、このように、しょっぱなから参加者を批判して打ちのめすやり方は、アメリカの新人軍人研修でも採用されている。それは、「新人を望ましい軍人に生まれ変わらせる最良の方法は、その人がそれまでに持っていたアイデンティティを破壊することだ」という訓練哲学があるからだ。

新入社員研修の場合で言えば、それまでの〈学生〉というアイデンティティを壊すことで、新しい〈社会人〉に鍛え直す。新入社員が、それまでの人生で獲得してきたアイデンティティを否定して、社会人の鋳型に入れるのだ。

新入社員研修の講師に、参加者をつぶして鍛えなおす権力が与えられているのは、この訓練哲学が社会で共有されているだけでなく、それぞれの場面で適切に挨拶をしたり敬語を使えることが、〈社会人〉の条件として高い価値を与えられているからだ。新入社員研修の意義は、「社会人にとって敬語は重要だ」という「敬語イデオロギー」によって支えられているのだ。

## 敬語をマスターすることは、エライ?

これに加えて、「敬語イデオロギー」には、主に二つの考え方が含まれている。ひとつは、正しい敬語の知識を持っていることは、その人の教養や地位を示すという考え方だ。二〇〇七年の文化審議会による『敬語の指針』には、「自分自身の尊厳のための敬語」という考え方が示されている。

敬語の役割の一つには「社会人としての常識を持っている自分自身」を表現するという側面もある。自分自身の尊厳のためにも敬語は使われると言うことができる。

（文化審議会二〇〇七：三四）

このような考え方において、敬語の知識は、社会学者のピエール・ブルデューの言う「文化資本」、すなわち、それを持っている人に権力や社会的地位を与える教養とみなされている（ブルデュー二〇一二）。それぞれの場面に適した敬語を使えることは、その人の知性やステータスを上げる。逆に、敬語を適切に使えないことは、知性やステータスを下げる。

もうひとつ敬語に関して信じられているのは、「日本には、それぞれの場面で使うべき正しい敬語のルールがある」という考え方だ。たとえば、政府の指針、国語学者の著作、マナー本の敬語に関する記述を分析した研究によると、それらすべてが、この考え方を示している（Okamoto & Shibamoto-Smith 2016）。

## 3 「正しい敬語」を決められるのか？

しかし、私たちがことばを使う状況には、さまざまな要因が関わっているので、それぞれの場面で使うべき「正しい敬語」を決めることが難しい場合も多い。

### 「上下関係」から「親疎関係」へ

実際、私たちの敬語に対する意識が変化していることは、文部省（現文部科学省）も指摘している。文部省は、『国語審議会報告書20』（文化庁一九九六：三〇一）で、現代の敬語について、以下の四つの特徴をあげている。

① 表現形式の簡素化

②　親疎の関係の重視
③　聞き手への配慮が中心
④　場面に応じた対人関係調整のための敬語

①は、複雑なものより簡素な敬語の形が好まれるようになったということ。②は、上下関係による敬語の使い分けが弱まり、相手と親しいかどうかという距離感に基づいた親疎関係が重視されるようになったということ。③は、話題に登場する人よりも聞き手への配慮が中心になった。本書でいうところの、素材敬語よりも対者敬語がより意識されるようになったということだ。④は、①では簡素化が挙げられているが、店員がお客に対するときなどの商取引の場面では、極めて丁寧になる場合があるという指摘である。日本人の敬語に対する意識は戦後から長い期間を経て徐々に変化しているのである。

このように敬語意識が変化している状況では、同じ場面でも、ひとつの「正しい敬語」を決めることなどできない。たとえば、対者敬語のひとつである「です」の使い方に関しても、話し手は目上の人に「です」を使うことによって、上下関係にもとづく敬意を表しているつもりでも、聞き手が上下関係よりも親疎関係を重視すれば、「です」は相手との距離感をもたらしてしまう。いくら目上の人に対してでも、「です」でばかり話していると、「いつまでたっても親しめない人だ」と誤解されかねない。同じ敬語を使っていても、さまざまな解釈が可能なのだ。

## 敬語の岡田准一とタメ口の妻夫木聡

敬語の解釈が定まらないという現象は、現代の若者のコメントにも表れている。二〇一八年一〇月に、俳優の岡田准一（当時三七歳）と妻夫木聡（当時三七歳）が映画『来る』の制作報告会に出席した。そこで、妻夫木聡が次のようにコメントしたのだ。

**「妻夫木聡〝同学年〟岡田准一の〝敬語〟にがっくり「壁がある」」**

妻夫木は「未だに気になることがある」と切り出すと「同い年なので岡田くんにはタメ口を話してしまってるんですけど。いまだに岡田くんが敬語なのが気になる…」とポツリ。

岡田は「（自分は）年下でも敬語を使います」と弁解するもすぐさま「でも青木ムネには普通に話してたんです」と暴露。「まだ、やばい。俺は壁があるぞ、これって」と肩を落とした。

（「ORICON NEWS」二〇一八年一〇月二三日）

妻夫木聡にとって、同じ年齢の岡田准一に敬語を使われることは、自分に敬意を表してくれているというよりも、自分との間に「壁」を作られることなのだ。

さらにこの例は、同じ話し手でも、敬語に対する意識が微妙に揺れていることを示している。まず妻夫木は、「同い年なので」と、敬語は年齢による上下関係にもとづいて使うという意識を持っていることを示している。一方で、岡田は、「（自分は）年下でも敬語を使います」と、敬語を、相手に対する敬意の表現として使うという意識を表明している。しかし、妻夫木の「でも青木ムネには普通に話してたんです」（「青木ムネ」は共演している同年齢の俳優、青木崇高《むねたか》）は、岡田の実際の敬語使用は、本人が言っているように「相手に対する敬意」にもとづいているのではなく、相手との距離感にもとづいていることを暴露している。

ここでは、敬語に対する意識が、すっかり親疎関係に移行したわけではなく、まだまだ（年齢による）上下関係ともかかわっているだけでなく、本人が表明している意識と実際の敬語使用がずれていることも明らかにされている。

このように、さまざまな敬語意識が同時に介在している状況で、どのように話すのが「正しい敬語」なのかを決めることなどできない。

## いつ、だれに、どのくらい、どの敬語を使うべきなのか？

その結果、ちまたには、いつ、だれに、どのくらい、どの敬語を使うべきなのかに関して、さまざまな意見があふれている。

電子掲示板の『発言小町』で敬語に関する意見を分析した研究（Okamoto & Shibamoto-Smith 2016）によると、「病院で医療従事者が年配の患者にため口で話しているのは失礼だ」という意見と、「患者に親しみを感じてもらうためには良い」という意見。「ご飯を「いただく」というのはとりすましている、「食べる」で良いじゃないか」という意見と、「「いただく」は美しい日本語だ」という意見。「弟の嫁は私より年下なのに、私にため口を使うなんて失礼だ」という意見と、「私より年下の弟の嫁は、私にため口を使うが、まったく気にならない。もし、私に敬語で話したらよそよそしい感じがして嫌だ」など。

日常生活のあらゆる場面で、敬語の使い方について異なる意見が投稿されている。

## 永遠のベストセラー「正しい敬語」のマナー本

一方では、「日本には、それぞれの場面で使うべき正しい敬語のルールがある」という考え方があり、もう一方で、それぞれの場面で何が正しい敬語なのかについては、さまざまな意見がある。さらに、社会人になったら、それぞれの場面で正しい敬語を使わなければならないという圧力がある。

このような状況が、いわゆる、「正しい敬語」のマナー本を永遠のベストセラーにしている。「正しい敬語」が「ある」ことになっている状況で、「正しい敬語」を使わなければならなくなった人が、参考にするからだろう。二〇〇〇年以降に出版された敬語のマナー本六一冊のタイトルを調査した研究によると、このうち一〇冊のタイトルに「正しい」が用いられている（Okamoto & Shibamoto-Smith 2016）。皮肉にも、敬語イデオロギーの矛盾によって一番得をしているのは、「正しい敬語」のマナー本を出版している人たちなのかもしれない。

## 4 アイデンティティを変化させる敬語の使い方

敬語に対する意識が変化している現代では、敬語の使い方を工夫することで、表現するアイデンティティを調整する必要がある。

〈親しい丁寧さ〉を表す「マジヤバイっす」

その典型例が、「そうっすね」「ヤバイっす」という、丁寧体の「です」を「す」と短くした言い方だ。これまで、このような話し方は、若者の流行《はや》り言葉だとみなされることが多かった。しかし、本章のこれまでの議論を振り返ると、「す」が使われるようになった理由を推測することができる。敬語が上下関係よりも親疎関係で理解されるように変化したために、「です・ます」の丁寧体では「壁がある」と受け取られかねない状況で、「です」を短くすることで距離も縮めているのだ。

実際、二〇一六年に大学の男子体育会系クラブに所属する先輩と後輩の三〇分の会話を分析した私の調査では、次の二つのことが分かった（中村二〇二〇）。

まず、後輩は「す」を先輩に対して丁寧体の「です・ます」と同じように使っている。先輩だけに「す」を使い、後輩同士は使わない。もちろん、先輩は後輩に「す」を使わない。つまり後輩は、「す」を敬語の一種として使っているのだ。

次に、後輩が「す」を使って表現している意味には、〈主張を和らげる〉〈同意してつながりを示す〉などいくつかあるが、中でも〈親しい丁寧さ〉が中心的な意味であることも分かった。ちょうど、丁寧体「です・ます」と普通体「だ」の中間のような使い方だ。

それが分かるのが、三〇分間の会話の中で、後輩の二人が同時に「です」を使った唯一の場面である。表記の中で、［小島です］の四角い括弧は、二人の話し手が同時に「小島です」と言ったことを示している（次の例の氏名や高校名は、匿名にしてある）。

**後輩1と後輩2が、同時に「です」を使った会話部分**

先輩　：佐藤ってどこのやつ？
後輩2：「小島です」。
後輩1：「小島です」。
先輩　：あ、そうなんだ。

まず先輩は、「佐藤ってどこのやつ？」、つまり、佐藤という学生はどこの高校から来たのか、聞いている。この質問に対して、後輩二人は、佐藤は小島高校から来た、と答えている。

実は、三〇分の会話の中で、これほど明確に先輩が後輩に情報を求める質問をしたのはこの時だけだ。どうやら、先輩というものは、後輩よりもクラブの事情に詳しいということになっているらしい。だとしたら、ここで「佐藤ってどこのやつ？」と先輩が聞いたということは、ある意味で、先輩が先輩としての体面を保てなくなっている場面だということだ。

そこで、この場面の答えを見直すと、「小島です」は、先輩の体面を保つ働きをしていることに気づく。先輩なのに、後輩に情報を求める質問をしてしまった先輩の体面を保つために、先輩への敬意を明確に表す「です」という形態を用いたのだ。

だとすると、この場面で「小島っす」ではなく「小島です」を選択した、しかも二人の後輩が同時に選択したということは、「です」の方が「す」よりも明確に話している相手への敬意を表現することができるということだ（もちろん、場面によっては、このような推測が当てはまらない場合もあるだろう）。別の言い方をすると、「す」は〈丁寧さ〉は表現できるが、その程度は「です」よりも曖昧になるということだ。

相手への敬意よりも距離感の方が意識される現代では、「す」のような言葉づかいは重宝される。事実、男性が使い始めたと考えられる「す」は、あっという間に女性にも広がった。

早い例では、体育会系の女性が、二〇〇〇年代から「す」を使っている。たとえば、二〇〇八年の北京オリンピック柔道女子七〇キロ級で上野雅恵選手が金メダルを獲得したことを伝えた新聞記事では、会場に来ていた同じく柔道家の妹巴恵《ともえ》さんが「す」で話している。

この日、祈るように試合を見つめた巴恵さんは優勝が決まると泣き崩れ、「すごいっす」と繰り返した。

（『朝日新聞』二〇〇八年八月一四日）

このような変化は、私たちの敬語や人間関係に対する意識も変化させていくだろう。一方で、「敬語イデオロギー」を尊重する人たちは、「す」を批判する。新しい言葉づかいに対する抵抗だ。

たとえば、二〇一四年に電子掲示板の『発言小町』に「そうっすね。マジっすか。ヤバイっす。みんな丁寧語っすよね？」という投稿が載った。この投稿には、三四四のレスポンスがあったが、そのうちの九〇%が、「うっす。丁寧語じゃないっす」のように、「「す」は丁寧語ではない」と回答したのだ（中村二〇二〇）。

その根拠は、先にも挙げた「自分自身の尊厳のための敬語」と「正しい敬語」という

「敬語イデオロギー」だ。いくつかのレスは、「言葉だけじゃなく、育ちも頭も悪すぎる」などと投稿者の尊厳を疑っている。また、「正しい敬語を話さないとみっともないです」のように、「〜す」は、正しい敬語ではない」と主張している。

「敬語は大切な伝統」だという考え方がある日本では、丁寧体を短くしてしまう「す」に対しても、強い拒否反応があるのだ。

## 新聞にあらわれる皇室敬語の違い

敬語の変化は、私たちが最も敬意を払うべきだと考えられている皇室に対して使う敬語にも見られる。新聞によって、皇室のニュースを伝える際に使う敬語が異なるのだ。たとえば、二〇一六年に平成天皇が生前退位を望んでいると発表したニュースを、『朝日新聞』と『産経新聞』がどのように伝えたか、敬語に注目して記事を比較してみよう。

①『朝日新聞』(二〇一六年七月一三日、電子版)

**「天皇陛下、生前退位の意向　皇后さま皇太子さまに伝える」**

天皇陛下が、天皇の位を生前に皇太子さまに譲る「生前退位」の意向を示していることが、宮内庁関係者への取材でわかった。数年前から繰り返し周囲に話していたという。数年内の譲位を望んでいるという関係者もいるが、実現には皇室典範の改正などハードルは高く、複数の宮内庁幹部は具体的な手順について「宮内庁として一切検討していない。天皇陛下のご意向と、実現できるかは別の話だ」と話している。

天皇陛下は82歳。高齢となった現在も、国事行為や国内外への訪問など公務、宮中祭祀（さいし）にのぞんでいる。２０１2年2月には、東京大病院で心臓の冠動脈バイパス手術を受けた。

宮内庁関係者によると、天皇陛下は皇后さまや皇太子さまに意向を伝えているが、生前退位に慎重姿勢を示している皇室関係者もいるという。（以下略）

②『産経新聞』（二〇一六年七月一四日、電子版）

「天皇陛下「生前退位」のご意向　数年内、ご公務・祭祀負担大きく」

天皇陛下が、天皇の位を生前に皇太子さまに譲る「生前退位」の意向を宮内庁関係者に伝えられていることが13日、分かった。数年内に退位されたい意向で、政府は今後、皇室典範改正の必要性や皇位継承のあり方などについて検討を進める。

陛下は82歳になられる。ご健康面では、平成23年に気管支肺炎のため入院、翌24年には心臓のバイパス手術を受けられた。

陛下のご公務は、内閣総理大臣の任命、閣僚の認証といった国事行為をはじめ、毎年各地で開かれる国民体育大会などへの出席、外国の賓客接遇など多岐にわたる。近年は東日本大震災をはじめ、頻発する自然災害の被災地を精力的に訪れ、困難な状況に置かれた人々を励まされてきた。公務に加えて、11月23日の新嘗祭をはじめとする宮中祭祀（さいし）も執り行われている。（以下略）

まず、傍線を引いた皇族の呼称だが、両新聞とも「天皇陛下」「皇后さま」「皇太子さま」と同じで、『産経新聞』だけ、「陛下」も用いている。

次に、波線を引いた「意向」と「公務」だが、『朝日新聞』は、（宮内庁幹部の談話の引用以外）「意向」と「公務」を用いている。『産経新聞』は、「ご意向」「ご公務」と「ご」をつける場合と、そのまま「意向」と「公務」を用いる場合がある。

もっとも違いが出ているのが、動詞の尊敬語「（ら）れる」の使用だ。二重線を引いたように、『朝日新聞』は、「示している」「話していた」「望んでいる」「のぞんでいる」「受けた」「伝えている」と、まったく尊敬語を付けていない。一方、『産経新聞』は、「伝えられている」「退位されたい」「なられる」「受けられた」「励まされてきた」「執り行われている」と、すべてに尊敬語「（ら）れる」を付けている。

普段から、複数の新聞を読んでいる人はそれほど多くないだろうが、こうして比較してみると、皇室に対して違う印象を受ける。『朝日新聞』は、皇族の呼称には尊称を用いているが、その他は平易な記述で、読者は皇室を身近に感じるかもしれない。『産経新聞』は、尊称に加えて、「ご〇〇」や動詞の尊敬語を使うことで、天皇に対する敬意を表現している。読者は、皇室をうやまう態度を感じるかもしれない。

実は、天皇が今よりもあがめられていた第二次世界大戦のころは、天皇にはもっと極端な敬語が使われていた。戦後、皇室が国民との距離を縮めようと努力するにしたがって、皇室に使われる敬語も少しずつ簡素化してきた。

先に見た、国語審議会報告書が指摘しているように、敬語の表現形式が簡素化し、親疎関係が重視されるようになり、聞き手、つまり、新聞の読者への配慮が中心になっているとしたら、『朝日新聞』の描写は、現代の敬語使用の変化に対応していると言える。その意味で、本書で何度も指摘してきたように、ことばが関係をつくりだすとしたら、『朝日新聞』の皇室敬語は、国民と皇室の関係をより近くする試みだとも言える。

同時に、異なる皇室敬語は、新聞のアイデンティティにも違いを生み出している。「新聞にもアイデンティティがあるの?!」と驚く人もいるかもしれないが、有名ブランドが広告に力を入れるのも、広い意味での、ブランドのアイデンティティを向上させるためだ。

皇室に平易な表現を用いる『朝日新聞』は、新進なアイデンティティを表現し、皇室敬語をより多く用いている『産経新聞』は、保守的なアイデンティティを表現していると言える。

## 「ため口キャラ」の登場

敬語イデオロギーが強い日本社会では、いつのころからか、敬語ではない話し方を「ため口」と呼ぶようになった。そして、上下関係の厳しい芸能界で、だれに対しても「ため口」を使うことを、ひとつの売りにする「ため口キャラ」も現れた。

ちなみに、対等に話ができることにも「フラットに話せる」という表現がある。私たちは、敬語イデオロギーを利用して人を批判するときもあるけれども、「ため口」で「フラットに話せる」関係も求めているのかもしれない。

なぜ、「ため口」が売りになるのか。ひとつには、視聴者が、ため口をきかれた先輩の反応に興味を持つからだろう。怒るのか、それとも、そのまま話し続けるかで、その先輩の「民主度」が分かってしまう。自分はあくまで芸能界の先輩として上位にいたい人なのか、それとも、後輩とも対等に話ができる器の大きい人なのか。

だから、視聴者は、「ため口キャラ」が「大物芸能人」と話す場面にドキドキする。「ため口キャラ」は、「大物芸能人」にもため口を使い続ける勇気があるのか、「大物芸能人」は、どう反応するのか。

お笑いタレントでYouTuberの「フワちゃん」も、そんな「ため口キャラ」のひとりだ。二〇二〇年七月一〇日に黒柳徹子が司会をするインタビュー番組の『徹子の部屋』に出演したときも、フワちゃんのため口と黒柳徹子の対応が注目された。

芸能界の大先輩である黒柳徹子を前にしてもフワちゃんらしさを爆発させたが、時折、敬語をしゃべってしまうなど、微妙な緊張感も漂わせた。

フワちゃんは冒頭から「来たよ〜！」といつものテンションで登場。黒柳は「お元気でなによりです」とこちらもいつものペースでフワちゃんを迎えた。

（中略）

だが、やはり黒柳の存在感に緊張したのか、時折語尾が「です」「ます」調に。

（デイリースポーツ「フワちゃん、祖父に叱られ黒柳はさん付けに…ルール流れ「帰りたくない！」」二〇二〇年七月一〇日）

そうなのだ。日本語の話し手にとって、目上の人に「です・ます」で話さないということは、よっぽど意識しないと難しい。二〇二〇年にTBSテレビが放送した『そうだ！タメ口でいこう』は、三世代の芸能人が一緒に食事をするのだが、敬語を使うと罰金を払わなければならないという番組。年下の出演者は、目上の人にため口を使おうとするあまり、話し方がぎこちなくなってしまったり、ときには、話せなくなってしまう。

敬語を使って固定した上下関係を再生産し続けることに疑問を持ってはいるが、それでも自分は敬語を使わないで目上の人と話す勇気はない。「ため口キャラ」は、そんな私たちの、小さな夢を試してくれる存在なのかもしれない。テレビで、「ため口キャラ」を受け入れる「器の大きい人」が賞賛されれば、現実社会でも「器の大きい人」が増えるかもしれない。

それにしても、「ため口キャラ」は、なぜ若い女性ばかりなのだろう。これまで『徹子の部屋』に登場して、ため口で話題になったのも、フワちゃん、ローラ、藤田ニコル、滝沢カレンと若い女性ばかりだ（女子SPA！「フワちゃん『徹子の部屋』でゴネる！ 黒柳徹子VSタメ口キャラ　4戦」二〇二〇年七月一七日）。「ため口キャラ」を若い女性に限るのは、ため口を、敬語の枠の外にある、一過性の「若者ことば」として片づけるためではないかと考えるのは、うがちすぎだろうか。

敬語は、日本語の中でもっとも「正しく使わなければいけない」という制限の強い言葉づかいだ。本章では、それにもかかわらず、私たちは少しずつだが、ことばを工夫することで、敬語を変化させ、その結果、人間関係やアイデンティティを変化させていることを見た。

次章では、アイデンティティ表現の材料としての方言を見ていこう。

# 第6章

# 方言——「恥ずかしいことば」から「かっこいいことば」へ

## 1　「国語」の弊害としての「方言」の誕生

「方言」というのは、その地域で使われている言葉づかいが自然に方言になると考えている人は多い。しかし、「方言」という概念も、第4章で確認した通り、何かと区別する必要がないと生じないものだ。その何かとは、「国語」という概念だ。

私たちにとって「国語」は、すなわち、日本語を指すのが当たり前だ。学校の授業で「国語」といえば、日本語を勉強する科目を指す。しかし、考えてみると「国語」はどの国の言語にも当てはまる。だから、外国の人に「国語とは日本語のことだ」と言うと、ちょっと、笑われてしまう。必ず、「私の国でも、国のことばが国語です」と言われてしまうのだ。

「国語」という概念は意外に新しく、明治時代に上田《うえだ》万年《かずとし》という学者によって提唱された。

### 言文一致

二〇〇年あまりの鎖国の後に国を開いた明治政府は近代国家建設に乗り出した。しかし、開国当時の日本では、知識人が使う漢文体や和文・候文《そうろうぶん》などさまざまな書きことばと、それとかけ離れたさまざまな地域の話しことばが使われていた。

このような状況で、流入する欧米諸国の技術や知識を広く普及させるためには、話しことば（言）と書きことば（文）を一致させる必要があるという言文一致《げんぶんいっち》論が生まれた。「言文一致」とは、話しことば（言）にもとづいた、もっとやさしい書きことば（文）を考え出して、広く国民に行きわたらせて、近代化を促進しようとする考え方を指す。

## 上田万年と「国語」の創造

けれども、言文一致は知識の普及という目的だけで進められたのではない。より重要な目的は、「ひとつの国語」を制定することで、人々に「ひとつの国家」の「国民」であるという意識を持ってもらうことだった。

第2章でも述べたように、江戸時代には藩に分かれていたこの地域を「日本」というひとつの国にするためには、「自分たちは藩に属している」と考えていた人々に、「日本という国」に属している「国民」だと思ってもらう必要があった。そのために有効だと考えられたのが、ひとつの言語を共有しているという感覚だった。

このように、同じ言語を使っていると想像することが、人々を同じ国の国民に統合するという考え方は、当時、近代国家が誕生していたヨーロッパで広く普及していた。政治学者のベネディクト・アンダーソンは、「直接は知り合いではないが、同じ言語で書かれた新聞を読んでいる他の人々が多数いると想像することが、国家を成立させたひとつの要因だ」と指摘して、国家を「想像の共同体」と呼んだ。

当時ドイツに留学していた上田は、この思想に触れて、明治二七(一八九四)年の講演「国語と国家と」では「国語」ということばを使って、日本を近代国家にするためには、言文一致によって共通の言語をつくり出す必要があることを説いた。

## 標準語イデオロギー

「標準語」とは、この「国語」を具体的にした概念だ。話しことばにもとづいた「国語」を考える場合、どの話しことばを基準にするかが問題になった。ほとんどの学者や政治家、文学者は、「東京語」を基準にするべきだと考えた。上田も、明治二八（一八九五）年の「標準語に就《つ》きて」という論文で、「教育ある東京人の話すことば」を標準語にするべきだと主張した。

実は、第3章でも見たように、「教育ある東京人の話すことば」の「東京人」は男性であることが当然視されていた。国語学者の岡野久胤《ひさたね》は、明治三五（一九〇二）年の「標準語に就《つ》いて」という論文で、標準語は「中流社会の男子のことば」だと書いている。

「教育ある」や「中流社会」によって「国語」から排除されたのは、「べらんめえ言葉」と呼ばれた、東京の下町や職人のことばだ。「男子のことば」によって排除されたのは、女性が使う言葉づかいだ。そして、「東京人」によって排除されたのが、東京以外で使われていた言葉づかいである。「標準語」の選択には、すでに、社会階級、ジェンダー、地域の区別が含まれていた。そして、この区別は、「標準語」を〈教育ある東京男子〉というアイデンティティに結び付け、「それ以外の言葉づかい」を〈教育のない非東京人や女性〉と結び付けた。

なんてことはない。学者や政治家、文学者といった、「何が標準語か」を決めることのできる人たちが、自分たちが使っている話しことばを「標準」にしたのだ。

本書では、このように「標準語が正しい国語である」という考え方を、「標準語イデオロギー」と呼ぶ。標準語イデオロギーは、「教育ある東京男子」が、自分たちが使っているこ とばを基準にすることで、自分たちの話し方を変えずに正しい国語の話し手になるという特権を得た言語イデオロギーだ。

## 国語の成立をじゃまする方言

東京語に高い価値が与えられると、東京以外の地域のことばは、国語の成立をじゃまする「方言」とみなされるようになった。みんなで「ひとつの国語」を話そうとしている時に、そうでない「方言」を使うべきではない。明治時代以降の「方言」とは、「国語＝標準語」の成立をさまたげる言葉づかいとして、最初から否定的な概念として誕生したのだ。

「標準語」と「方言」には、区別だけでなく優劣がともなっていた。それは、区別というものが、差別するための区別である場合が多いからだ。日本全国に混在していた地域語の中で、「東京語」と「非東京語」の間に境界線を引き、「優れた標準語」に対して「劣った方言」を差別する。

「方言」誕生の経緯は、ある言葉づかいが権威を獲得するためには、他の言葉づかいを否定することが、ひとつの有効な方法であることを示している。「教育ある東京男子の良いことばから標準語ができました」と言うだけでなく、「実は、東京以外のことばは、教育のない人が使う劣ったことばだったのです」と言う必要があったのだ。

## 方言受難の時代

けれども、「教育ある東京人」も、いろいろな話しことばを使っていた。なぜならば、当時東京で勉強していた人の多くは、東京以外の地域から上京して来た人たちだったからだ。

そのため、「国語」の創成を考えていた人たちは、標準語は自分たちが「制定」しなければならないと考えた。東京で話されていることばがあまりにも多様だったので、人々の努力で自然に標準語が成立するのは不可能だと思ったのだ。

上田万年も、明治三三（一九〇〇）年に書いた「内地雑居後に於《お》ける語学問題」という論文で、一日も早く東京語を標準語、すなわち、国語に決めて、標準語の文法書や辞書を出し、それを全国の小学校で使わせなくてはならないと主張している。

さっそく、同年の小学校令改正で「国語科」という科目が設けられ、明治三七（一九〇四）年の第一期国定教科書『尋常小学読本《とくほん》』、今でいう、小学校の国語の教科書では、東京の中流社会で使われている話しことばを国語として教えることが明言された。

そのため、学校現場では、「標準語」を話すことは正しいことであるが、「方言」を話すことは間違っているという認識が芽生えた。その結果、学校で地域のことばを使った子どもをあからさまに罰する制度まで登場した。

たとえば沖縄では、明治四〇（一九〇七）年ごろから、学校で方言を話すたびに「方《ほう》言札《げんふだ》」を渡し、木札の数によって素行点が引かれた。勉強よりも素行による落第者が続出して、恐怖の毎日だったという（外間一九八一）。

方言の否定は方言の話し手に理不尽な差別をもたらした。著名な作家たちも、その時の思いを述べている。

一九二〇年代に青森から上京した石坂洋次郎は、「標準語が自由にしゃべれないために、ずいぶん卑屈な思いをさせられた」。一九五〇年代に上京した井上ひさしは、「上京してから一年ぐらいの間、軽度の吃音症にかかった」。立松和平が、栃木なまりが恥ずかしくて「ライス」を注文できなかったのは一九六〇年代である（熊谷二〇一一）。

## 「方言について語ることば」がつくる「方言イデオロギー」

昔の人たちがこのような経験をしたことを知って、若い読者の中には驚く方もいるだろう。現在では、方言にもっとプラスのイメージを持つ人が多い。「方言萌《も》え」や「方言アイドル」だけでなく、後で取り上げている、若者が自分の出身地ではない地域の方言を使う「方言コスプレ」もある（田中二〇一一）。たとえば、京都出身ではない話し手が、「きれいどすえ」などと言う場合だ。

方言の評価が上がった理由はいろいろ挙げられる。しかし、ひとつだけはっきりしているのは、方言が変化して標準語に近づいたから、方言の価値が上がったのではないということだ。つまり、「方言」という言葉づかいが実際にどのようなものであるかに関係なく、方言に対する価値が下がったり上がったりした。「方言は恥ずかしい」とか「方言はカッコイイ」などの、「方言」という言葉づかいに対する「言語イデオロギー」は、その言葉づかい自体の特徴に関わりなく作られるのだ。

第4章で、「言語イデオロギー」は「話し方について語ることば（＝メタ語用論的言説）」によってつくられることを確認した。方言に対する言語イデオロギーを作り出したのは、人々の「方言について語ることば」だ。つまり、方言に対する評価が変わったのは、これらの「方言について語ることば」が変わったからだ。

なぜ、変わったのか。ひとつには、時代によって求められているものが変わったからだろう。「方言は恥ずかしい」という評価が優勢だった一九六〇年代までは、標準語の成立が急務だったために、方言を否定する発言が多かった。それ以降は、標準語が普及したために、こんどは多様な言葉づかいを求めて、方言を再評価する発言が増えたのかもしれない。言葉づかいに対する評価は、各々の時代に求められているものによって変化するのだ。

## 2　方言とステレオタイプ

### 地域・人物像・イメージとの結び付き

特定の地域を、他の地域から区別する必要が広く認識されるようになると、その地域の言葉づかいは、地域そのものや典型的な話し手の人物像と結び付くことで「○○方言」として認められるようになる。

第4章で、英語のひとつの発音を、「クイーンズ・イングリッシュ〈女王の英語〉」という名称によって、非常に特定された人物と結び付けることで、この発音で話すことが女王に付随する〈高い地位〉や〈高貴さ〉といった意味を獲得することを見た。

同じように、方言の場合も特定の人物に使わせることで、その人物のイメージを方言に結び付けることができる。たとえば、多くの文学作品で農民に東北弁を話させると、東北弁には「農民」のステレオタイプのひとつである〈素朴〉という意味が与えられる。

ステレオタイプとは、ある集団に対する固定的なイメージを指し、正しい場合もあるが間違いであることも多い。たとえば、「農民は素朴だ」というのは、何の根拠もないステレオタイプだ。

さらに、方言自体にも特定のイメージが結び付けられるようになる。たとえば、田中(二〇一一:二九―三〇)が行った調査によると、大阪弁は〈おもしろい〉、京都弁は〈女らしい〉、北海道・東北・北関東の方言は〈素朴〉、九州・広島は〈男らしい〉、そして、沖縄の方言は〈あたたかい〉イメージとの結び付きが強い。

これらのイメージ、つまり、「意味」と結び付くことで、方言がアイデンティティ表現の材料として利用できるようになる。一方で、方言に与えられる人物像(社会的アイデンティティ)やイメージ(スタンスと特質)は、ステレオタイプであることが多い。

## 方言の「凝縮化」

方言をはじめとする「〇〇ことば」が、アイデンティティ表現の材料として利用されるようになると起こる現象のひとつに、限られた語彙や典型的な発音にそのエッセンスが凝縮される傾向がある。だんだん、限られた数の語彙や発音で、イメージや人物像を表現することができるようになるのだ。

そのような、方言の「凝縮化」とでも呼べる現象を起こすのが、方言辞典の作成や方言の商品化である。

方言辞典をつくるといっても、その地域で使われているすべての表現や地域ごとに異なる言いまわしを掲載することはできない。掲載できる語彙や表現はどうしても数が限られてくる。辞典ではなく、パンフレットや新聞記事に紹介するとなると、さらにその数は代表例に絞られる。つまり、この時点で「代表的な言いまわし」がつくられる(Johnstone, Andrus, and Danielson 2006)。

そして、方言が商品化されるときには、これらの代表例が表示される。お土産物屋さんで売れられている、その地方の方言が書いてある手ぬぐいやTシャツ、湯飲みを思い浮かべてほしい(Johnstone 2009)。

商品化が広くおこなわれるようになると、そのうち、たったひとつの表現でも方言を代表できるようになる。大阪弁の「もうかりまっか」のように、これを言うだけで、特定の人物像、たとえば〈大阪商人〉、を想起させることができるようになるのだ。

方言の語彙や発音を凝縮するのは、これらの辞書やパンフレット、方言が書いてある手ぬぐいやTシャツのようなメタ語用論的言説だ。

この時点で、方言自体も限られた数の語彙や発音にステレオタイプ化されるだけでなく、そのような方言と結び付いているイメージや人物像もステレオタイプ化される。人々の頭の中では、方言のステレオタイプと人物像のステレオタイプが強く意識されており、実際にその方言を話している人たちが使う方言とは違うものになっていくのだ。

凝縮された方言は、「もうかりまっか」の例のように、簡単に人物像を描くことを可能にしてくれる便利な言語資源だ。しかし、それは大阪弁の話し手が日常的に話しているものとは違う。私たちは、アイデンティティ表現の材料として凝縮された概念としての「方言」と、実際に使われている方言が違うものだということを覚えておく必要がある。

## 疑似東北弁に翻訳されてきた黒人奴隷のセリフ

このように強く意識された人物像のステレオタイプをグローバルに利用した例が、南北戦争時代のアメリカの黒人奴隷のセリフの翻訳に使われる東北弁だ（現代では、「黒人」ではなく「アフリカ系アメリカ人」のような表現が一般的だが、本節では、国籍にかかわらず悲惨な状況におかれた人々を表現する意図で「黒人奴隷」と表記する）。

翻訳のセリフも、翻訳というフィルターを通した「フィクションの会話」というメタ語用論的言説だ。たとえば、マーガレット・ミッチェルの『風と共に去りぬ』（一九三六年）には、主人公スカーレットのベテランお世話係の黒人女性マミーが登場する。マミーのセリフは次のように訳されている。

図6-1　映画『風と共に去りぬ』（1939）で主人公スカーレット（左）の世話をするマミー（右）

「いんや、駄目でごぜえますだ。（中略）あんなぶざまなことを仕出《しで》かしたではねえだか。これを一つ残らず食べていただきますだよ」

（大久保康雄・竹内道之助訳、一九五七年『風と共に去りぬI』新潮社、八七—八八頁《ページ》）

また、ハリエット・ストウの『アンクル・トムの小屋』(一八五二年)は、一九九八年の新訳でも、黒人男性のトムが亡くなる前のセリフは、次のように訳されている。

「おらはいま、天国の戸口に立って、栄光のなかに入ろうとしとりますだ!(中略)おらは勝利を得ましただ!(中略)主イエスがおらにそれを与えてくだせえました!」

(小林憲二監訳、一九九八年『新訳 アンクル・トムの小屋』明石書店、四九〇頁)

これらの作品でこのような話し方をしているのは、黒人の登場人物だけだ。ついでに言えば、白人男性は標準語、白人女性は女ことばという使い分けがされている(中村二〇一三)。

右に挙げた黒人のセリフの邦訳には、東北弁の特徴と考えられるものが多い。マミーの「いんや」に見られる「い」から「いん」への変更。「ますだ」「ですだ」のように「です・ます」の後に「だ」を付ける。「ございます」を「ごぜえます」と表記する

「い」から「え」への変更などだ。

しかし、それ以上に重要なのは、これらの翻訳がきちんとした東北弁ではなく「疑似東北弁」とでも呼べるものだという点だ。たとえば、右に挙げた「い」から「いん」への変更も、『風と共に去りぬ』の黒人奴隷のすべての発言に一貫して見られるのではなく、「いや」→「いんや」、「おや」→「おんや」、「けど」→「けんど」の三語だけに限られている (Hiramoto 2009)。

興味深いことに、翻訳では、黒人奴隷の発言を通して、日本の東北弁が凝縮され、東北弁のステレオタイプがつくられているのだ。

さらに、このような翻訳は、黒人奴隷のイメージと東北弁話者のイメージをつなげる働きもしている。一体両者は、何つながりなのだろう。「黒人奴隷」と「東北弁話者」は、人種や国籍、住んでいる地域では重ならない。

方言学者のロングと朝日 (一九九九) によると、これらの作品の中で黒人奴隷が話す英語の南部方言と、日本語の東北方言には、「教養のない田舎者が話すことば」というステレオタイプが与えられている。そのため、黒人奴隷のセリフを東北弁に翻訳することは、黒人奴隷と東北弁話者の両方に〈教養のない田舎者〉というイメージを与える働きがあるという。

だとしたら、黒人奴隷が東北弁を話すたびに、東北弁話者にまで、〈田舎者〉イメージがあてがわれてしまう。このような翻訳は、ディズニーアニメが外国語なまりの英語を通して〈外国人〉に対する差別を助長した（一二四―一二五頁参照）のと同じように、〈東北人〉に対する差別を助長している。

日本では、このような翻訳が、少なくとも『風と共に去りぬ』が邦訳された一九五七年から、『アンクル・トムの小屋』の新訳が出た一九九八年まで、実に約四〇年もの間（そして、作品によっては現在でも）、行われてきた。

しかも、これらの作品は、映画や舞台、子ども向けの絵本や漫画という媒体で広く親しまれている。『風と共に去りぬ』は、二〇一一年に帝国劇場一〇〇周年記念公演としても上演されている。

先に挙げた、東北地方から上京した石坂洋次郎や井上ひさしが、使い慣れた東北弁を話せずにいた理由のひとつは、このような翻訳だったのではないだろうか。

## 3　よその言葉を借りてくる――ことばの越境

一方で私たちは、特定の人物像と結び付いた概念としての「方言」を、自分が所属する地域の方言でもないのに、積極的に利用するときがある。

### 方言とアイデンティティの三つの関係

方言とアイデンティティの関係は、大きく三つに分けることができる。

ひとつは、その地域で育ったからその方言を話す場合だ。方言の使用は地域の出身者としてのアイデンティティを表現し、地域への所属や出身者同士の親しみも表現することができる。

二つ目は、場面が変わったから、話す方言を変える場合だ。地元の友人と話すときには地元の方言を用い、東京の職場では東京弁を用いる。

三つ目は、自分が所属していないコミュニティの方言を借用することで、アイデンティティを変化させる場合だ。先に挙げた「方言コスプレ」が典型例だ。方言コスプレが成立するのは、たとえば「京都弁」が、ある種の〈女らしさ〉とすでに結び付いているからだ。

## 「スタイル的な越境」と「パフォーマンス的な越境」

この三つ目の関係は、社会言語学で「ことばの越境」と呼ばれ、世界で広く観察されている。「ことばの越境」とは、自分が所属していない集団と結び付いた言葉づかいを交ぜて使う行為である。交ぜるのは、別の言語の場合もあるし、同じ言語のさまざまな言葉づかいを使う場合もある。

なぜ、あえて自分が所属していない集団と結び付いた言葉づかいを選択するのか。それは、自分が日常的に使っている言葉のレパートリーでは、自分が表現したいアイデンティティを十分に伝えることができないからだ。

「ことばの越境」は、話し手が場面に合わせて他の言葉づかいを使う場合と、パフォーマンスとして越境する場合に分けることができる。本書では、前者を「スタイル的な越境(stylistic crossing)」、後者を「パフォーマンス的な越境(stylized crossing)」と呼ぶ

(Bucholtz and Lopez 2011)。

「スタイル的な越境」は、自分のアイデンティティ表現を豊かにするために行うものなので、その言葉づかいと結び付いている人物像を好意的に表現する場合が多く、越境先の言葉づかいが、自分が日常的に使っている言葉のレパートリーに加わる場合もある。第3章で言及した、小中学生女子が「うち」という地域語の自称詞を借りて使い出した現象も、「スタイル的な越境」の例だ。

一方、「パフォーマンス的な越境」は、一時的に自分が所属していない集団の言葉づかいを使うことを指し、その言葉づかいと結び付いている人物像は自分自身のアイデンティティとは違うことを明確に示している場合が多い。典型例は、パロディーだ。

実際の会話では、「スタイル的な越境」と「パフォーマンス的な越境」が交ぜて行われ、はっきり区別できないこともある。

「パフォーマンス的な越境」と聞くと、特別なことのような印象を受けるかもしれない。しかし、私たちは意外に身近なところで、自分が所属していない集団の言葉づかいを使って、アイデンティティをパフォーマンスしていることを示す例がある。

## なぜ強盗は英語を話し、警察官は関西弁を話したのか

二〇一七年五月二三日に、北海道札幌市にある宝石店に強盗が押し入った。店は警察に通報し、九分後に犯人が捕まった。警察官が強盗の容疑者を追跡する場面を実際に見ることはめったにないが、この日は、たまたまテレビのカメラマンが居合わせ、警察官が容疑者を逮捕するまでの一部始終がテレビ（#アベマウエイブ）で放送された（中村二〇二〇）。

札幌市大通り交番の巡査長（二七歳）は、容疑者の札幌市の派遣社員（四三歳）をしばらく路上で追った後、最終的に、地下街で容疑者を確保する。もみあいながらの二人の会話が以下だ。

容疑者「ノー スピーク ジャパニーズ」
警察官「あ？ 何人《じん》や？ お前…」

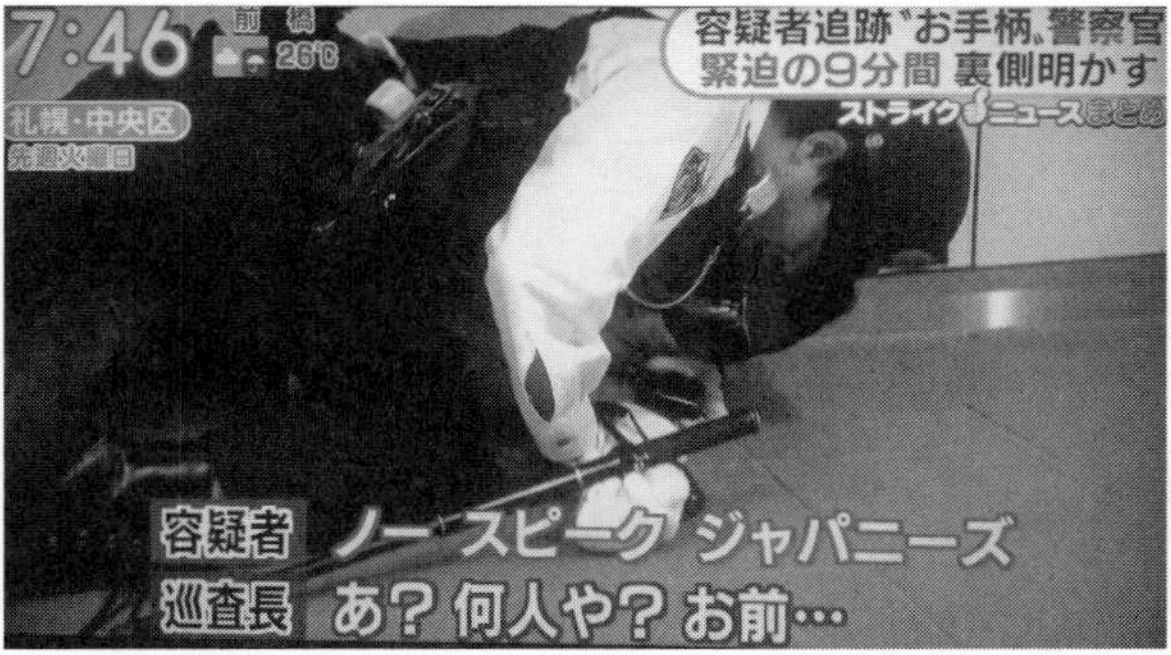


図6-2「ノー スピーク ジャパニーズ」と聞いて日本人ではないと考えた警察官

容疑者が「ノー スピーク ジャパニーズ」と言うのを聞いた警察官は、「何人《じん》や?」と聞いている。つまり、この人物は日本人ではないと考えたのだ。これは、第1章でも指摘したように、日本では、「日本人ならば日本語を話すはず」という〈日本人性〉と日本語を結び付ける言語イデオロギーが強いからだ。

ところが、この容疑者は、日本人だった。北海道のHTB News(二〇一七年五月二四日)は、「警察も当初、英語の通訳を交えて取り調べを行い、竹田容疑者も外国人のそぶりを見せていましたが、日本人でした」と伝えている。

つまり、この容疑者は、意図的に身元をごまかす目的で、「日本人ならば日本語を話すはず」という言語イデオロギーを利用して、変な英語への「ことばの越境」をしたのだ。

しかし、この事例が面白いのは、ここからだ。なぜならば、警察官が容疑者を取り押さえながら話していたのが関西弁だったからだ。

警察官は、容疑者に、「何人《じん》や」と聞き、さらに、長時間の追跡から息も絶え絶えになりながらも、「観念せぇ！　ハア…ハア…」「観念しろ！　お前何やっとんや！」と叫んでいる。

これを聞いた人の中には、この警察官は札幌に勤務しているが、実は関西出身だったのだと思った人もいた。ところが、この警察官は関西出身ではないことがツイッターで指摘された。


札幌で強盗未遂の犯人を捕まえた警察官が関西弁だったので、関西出身で北海道警を受験したのか？と思ったら函館出身で関西に住んだコトないって…何だソレ！w

なぜ、警察官は、関西弁を使ったのだろう。『Ｙａｈｏｏ！知恵袋』への投稿では、

「関西やくざ」との関連が指摘された。

**Yahoo!知恵袋　2017/6/1　07:53:09 ujiphippo さん**

宝石強盗を捕まえた…札幌の警察官…ほとんど関西ヤクザみたいな言葉使いで…日本と司法の品位を落としてると思いませんか?

「関西やくざ」がどのような人なのかは別にしても、各々の人が「関西やくざ」だとイメージしている人が実際に使っている言葉づかいを聞く機会はそう多くないだろう。だとすると、このやりとりで想定されている「関西やくざの言葉づかい」とは、やくざ映画などで聞いた言葉づかいなのではないだろうか。

警察官が容疑者を確保する場面では、腕力で相手をねじ伏せるだけでなく、ことばでも相手を威嚇する必要がある。そんな時に思わず出たのが、以前にやくざ映画で聞いた「関西やくざの言葉づかい」だったのではないだろうか。

容疑者は、「ノー　スピーク　ジャパニーズ」と言うことによって、一時的に〈日本語を話さない国の人〉というアイデンティティを表現しようとした。最終的に失敗してしまったが、警察官が「何人《じん》や」と聞いた時点では、ことばによって自分自身とは異なるアイデンティティを表現していたことは確かだ。

一方、警察官は、関西弁を使うことで、〈容疑者をことばでも威嚇する警察官〉というアイデンティティを表現した。ところが、「大阪で生まれ育った人の話す大阪弁が本物だ」という「言語イデオロギー」を持っていた視聴者に違和感を持たれてしまった。それでも、関西やくざ風の言葉づかいによって、容疑者を確保したのは事実だ。

つまり、両者とも、ことばを越境することによって、一時的に普段の自分とは異なるアイデンティティを表現した。方言のように、特定の人物像（社会的アイデンティティ）やイメージ（スタンスと特質）と結び付いている言葉づかいは、私たちが複数のアイデンティティを表現することを可能にしてくれるのだ。

次章では、「女ことば」を取り上げて、アイデンティティ表現が女性に対する既存の思い込みをゆさぶる例を見てみよう。

# 第7章

# 「女ことば」

## ――伝統的な〈女らしさ〉から辛口の材料へ

## 1 「女ことば」とは女性が使っている言葉づかいなのか？

「女ことばとは、何ですか」と聞かれると、たいがいの人が、「それは女性が話している言葉づかいだ」と答える。この考え方によれば、日本語に「女ことば」がある理由は、次のようなストーリーで説明される。

まず日本の女性はみんな〈女らしさ〉を持っていて、ことばを話す時にも、ついこの〈女らしさ〉が顔を出してしまう。その結果、女性は過去から現在まで、男性とは違う女性特有の言葉づかいをしてきた。そして、それが自然に「女ことば」と呼ばれるようになったと言うのだ。

このようなストーリーは、辞書の定義にも表れている。たとえば、『広辞苑』（七版、二〇一八）の「女性」の項目の中にある「女性語」の説明には、以下のようにある。

単語・文体・発音などにあらわれる女性特有の言いまわし。平安時代には漢語を避けた表現としてあったが、特に室町時代以降の女房詞《ことば》や遊女語などで顕著に見られた。現代語でも、接頭辞の「お」、終助詞の「よ」「わ」などのほか、語彙・発音の面でも見られる。婦人語。

「女房詞」というのは、宮中で働いていた女性たち（「女房」と呼ばれる）が、食べ物や衣類を指すのに仲間内で使っていた隠語で、鯛《たい》を「おひら」、酒を「くこん」、豆腐を「かべ」と呼ぶ言葉づかい。「遊女語」とは、遊女が用いていた「ありんす」などの言葉づかいを指す（中村二〇一二）。

つまり、この定義では、「女ことば」は、昔から女性が使ってきた言葉づかいから自然に成立したとされているのだ。しかし、第4章でも見たように、「〇〇ことば」は、ただ使われるだけでは成立しない。

## 2 「女性が使ってきた言葉づかいだ」という考え方の問題点

「女ことばは、昔から女性が使ってきた言葉づかいから自然に成立した」という主張には、いくつかの問題がある。

### 明治時代の「女学生ことば」から派生した

第一の問題は、辞書が挙げている女房詞や遊女語と、現代語の「女ことば」には、共通点がほとんどないことだ。現代語の接頭語「お（例「お食事」）」は、女房詞の「おひら」などにも見られるが、他の女房詞の「くこん」や「かべ」と、遊女語の「ありんす」と、現代語の終助詞の「よ（例「わたしよ」）」「わ（例「知らないわ」）」は別物だ。このギャップは、どのように説明できるのか。このギャップを説明する必要を感じないのは、「女ことば」を「女性が使う言葉づかい」という一点からのみ理解しているからだろう。

現代の「女ことば」は、主に、全体的な話し方と使われる言語要素によって理解されることが多い。

全体的な話し方としては、「ひかえめで、丁寧で、柔らかい」話し方が「女ことば」とみなされる。これ以外にも、人によって、「上品、洗練されている」というイメージを持つ人もいる。これらのイメージは、いわゆる伝統的な〈女らしさ〉と一致している。

言語要素としては、接頭語の「お」、文末詞の「よ」「わ」「かしら」、感嘆詞「あら」「まあ」、自称詞「あたし」などが含まれると言われるが、これも人によって異なる。

第4章で説明した、言語要素と意味のあいだの直接的な結び付きと間接的な結び付きという区別に従うと、これらの言語要素は、直接的には右に挙げた〈ひかえめ〉、〈丁寧〉、〈柔らかい〉という意味（スタンスと特質）と結び付き、間接的には〈ひかえめで、丁寧で、柔らかい女らしさ〉という意味（社会的アイデンティティ）と結び付けられているることになる。女らしさにもいろいろあるが、「女ことば」は、〈ひかえめ、丁寧、柔らかい〉という特徴のある女らしさと結び付いている。

現代の女ことばとみなされている文末詞「よ」や「わ」から辿《たど》って行くと、「女ことば」は女房詞や遊女語から派生したのではなく、むしろ、明治時代に女学生が使い出した「よくってよ」「しらないわ」という言葉づかいから派生したことが分かっている（中村二〇一二）。現代の「女ことば」の起源は、意外に新しいのだ。

## 女性はみんな〈女らしさ〉を持っているという前提

第二に、もっとも大きな問題は、昔も今も、女性はみんな同じような〈女らしさ〉を持っていると仮定している点だ。室町時代から現代までの日本の女性に共通していることと言ったら、「女性である」という一点だけだ。それらの女性が男性と違う「ひかえめで、丁寧で、柔らかい」言葉づかいをしてきたと考えるならば、その理由は、女性が生まれつき持っている〈ひかえめで、丁寧で、柔らかい女らしさ〉だと言うしかない。

しかし、何が女らしくて、何が男らしいかは、文化や時代によって異なる。女らしさや男らしさは、生まれつき持っているものではなく、社会的に学習するものだ。

そもそも、第1章で確認したように、本書は、本質主義ではなく構築主義の立場をとっている。話し手が、最初に〈女らしさ〉を持っていて、その〈女らしさ〉に基づいてことばを使うという本質主義の考え方ではなく、話し手は〈ひかえめで、丁寧で、柔らかい女らしさ〉と結び付いた「女ことば」を使って、さまざまなアイデンティティを表現すると考える。

さらに、女らしさや男らしさを、男女が生まれつき持っているものとみなす考え方には、問題が多い。最大の問題は、「女は黙っていろ」とか「男のくせに泣くな」というような、理不尽な批判や命令に理《り》があるような印象を与えてしまう点だ。主張する女や、泣虫の男など、いわゆる女らしさや男らしさに当てはまらない人を受け入れない風潮を生み出すのだ。

二〇二〇年五月二三日の『朝日新聞』に、「意見言う女性への中傷　ネットで激化」という記事が載った。女性が政治に対する意見をツイッターに投稿すると、「黙ってろブス」のようなバッシングが起きる。このような中傷の背景には、「女性はひかえめであるべきだ」という〈ひかえめな女らしさ〉を当たり前とみなす態度が見て取れる。

## 昔の女性も「女ことば」を話していなかった

第三の問題点は、ほとんどの日本女性は「女ことば」を話していないという事実だ。そもそも、「女ことば」は標準語のひとつなので、地域のことばを話している日本のほとんどの女性は、日常的に「女ことば」を使わない。

また、標準語を話す女性の会話を録音して分析した多くの研究によると、若い世代ほど「女ことば」を使わない。「かしら」など、若い世代には「死語だ」と言われるそうだ。

こういうことを言うと、「今の女性は女ことばを話さなくなってしまったが、昔の人は女らしく話していた」という人がいる。ところが、昔の資料に当たると、いつの時代も女らしい言葉づかいをしない人がたくさんいたことが分かる（中村二〇〇七）。

たとえば、第3章で、巌本善治《いわもとよしはる》が、明治二三（一八九〇）年に女子学生が、「君・僕」を使っていることを批判したことを指摘したが、巌本は「君・僕」以外にも、女子が「来た」「おっかさん」「おとっつあん」「行く」のような丁寧でないことばを使っていることを批判している（当時の「来た」の丁寧な言い方は「いらっしゃった」で、「行く」は「うかがう」あたりか）。

戦時中には、国語学者の長尾正憲《まさのり》が、『女性と言葉』（一九四三）の中で、「今日の女性語のみだれ方、荒れ方を思うにつけて、私は幼年の日の厳格なしつけを省《かえりみ》るのである」と述べている。

さらに現代まで、たとえば、次のように、女性の言葉づかいの乱れを嘆く新聞の投書が続いている。

最近、自分も含め、若い女性の言葉遣いの悪さが目立つように思う。

（二三歳大学生『朝日新聞』一九九九年三月一一日）

もし、日本の女性が過去から現代まで、ほとんど「女ことば」を使ってこなかったならば、「女ことば」はどのように成立したのだろうか。

## 3 「女ことば」をつくってきたメタ語用論的言説

実は、「女ことば」をつくってきたのは、第4章で説明した、メタ語用論的言説、つまり、女性の話し方について語ることばとフィクションの会話である（中村二〇〇七）。その中には、今まで見てきた国語学者をはじめとする日本語の専門家が語ったことばや、新聞や小説、映画の中のセリフが含まれる。以下に代表例を三つ挙げる。

## 「最近」の言説

まず、なぜ、「昔の女性は女らしく話していた」と信じられているのか考えてみよう。ひとつの理由は、前節で見たような、「最近、女性の言葉づかいが悪くなった」という新聞の投書などでよく聞く嘆きである。新聞の投書も、立派なメタ語用論的言説である。女性の話し方は、「最近の現象」として批判される傾向が強く、次の投書も「最近」で始まっている。

> 最近、自分の子どもに対してぞんざいな話し方をする母親が増えているように感じ、気になっている。
>
> （三九歳会社員『読売新聞』二〇〇六年一一月二一日）

おもしろいことに、この「最近の女性の言葉の乱れ」を嘆く言説は、明治時代から現在まで続いている。たとえば、国語学者の大槻《おおつき》文彦《ふみひこ》は、明治三八（一九〇五）年に上野女学校で行った講話の中で、次のように述べている。

今女学校《じょがっこう》で流行る「よくってよ」などいう言葉《ことば》も聞《き》きにくい維新前《いしんぜん》の将軍大名《しょうぐんだいみょう》の奥向、徳川の旗下《はたもと》の婦人《ふじん》などの言葉《ことば》は上品なものでありました

（「日本方言の分布区域」『風俗画報』三一八号）

「今」の女性の言葉づかいを批判するのに、明治維新前の「昔」の女性は上品な言葉づかいをしていたのに、それに比べて「今」の女性はけしからんという論法だ。

この論法を使って女性の言葉づかいを批判している人は、女性が「悪い、ぞんざいな、聞きにくい」話し方をしているのを目撃したのだろう。しかしこれは、女性が、その場面の必要に応じて、「女らしくない」話し方を選択している例だ。

ところが、批判する人は、これを歴史的時間軸からとらえて、「昔の人は女らしく話していたのに、最近乱れてきた」と表現する。新聞の例は、「昔の人は女らしく話していたのに」の部分が省略されているだけなのだ。

なぜ、そうなるのか。それは、本章の最初に述べたように、「女性が実際に使ってきた言葉づかいが女ことばになった」という考え方が根強いからだ。せめて昔の女性は女

ことばを話していたことにしなければ、このような考え方が成り立たない。

私たちは少なくとも一〇〇年以上、「最近の女性の言葉の乱れ」を嘆き続けている。「最近」って、長かったんだなあー。

一〇〇年間批判しても乱れが止まらないのならば、投書をしても意味がないと思うかもしれない。しかし、「最近、女性の言葉が乱れている」と言い続けることは、「今の女性の言葉づかいは乱れているが、昔の女性は女らしい言葉づかいをしていた」という幻想を作る重要な働きをしているのである。そして、このような幻想が、「女性が実際に使ってきた言葉づかいが女ことばになった」という考え方を支えているのだ。

## 翻訳で使われる「女ことば」

もうひとつ、「女性は女ことばを話してきた」という幻想を支えているのが、外国人女性のセリフの翻訳だ。外国人女性のセリフの翻訳も、「フィクションの会話」というメタ語用論的言説だ。たとえば、『ハリー・ポッターと賢者の石』のハーマイオニーが、最初に登場した時のセリフが次だ。

「まあ、あんまりうまくいかなかったわね。私《わたし》も練習《れんしゅう》のつもりで簡単《かんたん》な呪文を試《ため》してみたことがあるけど、みんなうまくいったわ。私の家族《かぞく》に魔法族《まほうぞく》は誰《だれ》もいないの。だから、手紙《てがみ》をもらった時、驚《おどろ》いたわ」

（J・K・ローリング『ハリー・ポッターと賢者の石』松岡佑子訳、静山社、一九九九年、一五八頁《ページ》）

この時のハーマイオニーの年齢は一一歳、小学校の五年生だが、「わね」「いったわ」「いないの」「驚いたわ」とこてこての女ことばに訳されている。日本の小学五年生で、こんな話し方をしている子がいるだろうか。日本人から聞くことが少なくなった女ことばを、英語を話しているはずの一一歳の少女の口から聞く。ハーマイオニーだけではない。小説の邦訳から映画の字幕・吹き替えまで、戦後から一貫して、もっとも典型的な女ことばを話しているのは、翻訳の中の外国人女性なのである（中村二〇一三）。

さらに、フィクションに登場する女性だけでなく、実在する外国人女性の発言も、

「女ことば」に翻訳される。

たとえば、アメリカのメジャーリーグで活躍する大谷翔平《しょうへい》を取り上げた、二〇一八年四月九日『産経新聞』の記事では、日本人や地元ファンのコメントを載せている。そのコメント部分だけを抜粋してみると、次のようになる。

榎本浩文さん（42）
「打って3試合連続本塁打、投げてもこの調子。日本人として誇らしい」
妻のゆりさん（40）
「自信があって余裕さえ感じられる」
地元のルシオ・ヴェルディンさん（41）
「すばらしいよ。すでに大谷は二刀流をやってのけている。10本塁打10勝もできる」
妻のレティーシア・ペーニャさん（29）
「完璧だわ。見ていてわくわくする」

すぐ分かるように、最後の外国人女性のコメントだけ「完璧だわ」と、女ことばに訳されている。同じ女性でも、日本人女性の場合は「余裕さえ感じられる」と、女ことばは使われていない。日本人のコメントの場合は、翻訳せずにそのまま載せるので、女ことばを使うことができなかったのだろう。

翻訳だけではない。小説やテレビドラマなどのフィクションの会話の方が、面と向かった会話よりも、女性が「女ことば」を使う割合が多いことは、さまざまな研究で明らかにされている（水本二〇一〇）。

なぜ、このようなことが起きるのか。それは、「女性は女ことばを話すはず」という言語イデオロギーが翻訳やフィクションの制作過程に影響を与えるからだ。同時に、このような翻訳やフィクションを、繰り返し読んだり聞いたりしている日本人読者は、「女性は女ことばを話す」、「しかも、人種や言語が違う女性さえ女ことばを話す」と誤解する。

そして、このような誤解が、「〈ひかえめで、丁寧で、柔らかい女らしさ〉は、世界中の女性に共通している」、つまり、「女らしさは女性が生まれつき持っているものだ」という誤った考え方をさらに補強するのだ。

## 後からつくられる伝統

三つ目に、女ことばを日本語の伝統にしているのが、先に見た辞書の定義のような説明である。『広辞苑』の定義でも、女房詞や遊女語を例に挙げることで、「女ことば」は室町時代から続いている伝統であるかのような印象を与えていた。

しかし、よく調べてみると、女ことばが日本語の伝統として認められたのは、昭和の戦争中であることが分かった（中村二〇〇七、二〇一二）。

第6章で見たように、それ以前の明治時代には、「教育ある東京男子の話すことば」を基準に国語がつくられていた。そのため、女性と結び付けられたことばは国語から排除されていたし、「日本語には女ことばがある」などと言われることもなかった。

ところが、戦争中になると、「女ことばの起源は女房詞と敬語だ」と主張する言説が発生する。国語学者の菊澤季生《きくざわすえお》は、昭和四（一九二九）年に書いた「婦人の言葉の特徴に就《つい》て」という論文で、「女ことば」は女房詞と同じ特徴を持っていると指摘。また、金田一京助は、『国語研究』（一九四三）で、「敬語の起原を考えることは、婦人語の起原を考えることである」（傍点原著者）と強調している。

文化人類学者のエリック・ホブズボウムとテレンス・レンジャーは、伝統とは、その地域に長くあるから伝統なのではなく、歴史的につじつまの合う過去と連続性を築くことで、「創り出される」と指摘している。女房詞を「女ことば」の起源にし、敬語と「女ことば」が同じ起源だと主張することは、「過去と連続性を築く」ことで「女ことば」を日本語の伝統にすることである。「女ことばは室町時代から続いている伝統である」という考え方は、昭和の戦争中に後からつくられたのだ。

なぜ、それまで無視していた女性のことばを、戦争になったとたんに日本語の伝統に格上げしたのか。それを知るには、同じ戦争中に、「女ことば」は日本語だけに見られる現象で、これは日本語の優位を示しているとする言説が多数発生した点に注目しなければならない。

谷崎潤一郎は、『文章読本』（一九三四）で、「この、**男の話す言葉と女の話す言葉と違**

**うと云《い》うことは、ひとり日本の口語のみが有する長所**でありまして、多分日本以外の何《ど》処《こ》の国語にも類例がないでありましょう」（太宰原著者）と言い、国語学者の石黒修《よしみ》は『美しい日本語』（一九四三）で、女ことばは「日本語の持つ美しさの一つであり、他の国語の追従をゆるさない」と主張している。

　これらの言説が生み出された背景には、明治以降の日本の近代化が、東アジアを植民地にすることと並行して行われた事実がある。台湾や朝鮮、満州などの植民地では、日本語を強制することで、植民地の人々に「日本精神」を植え付けるという同化政策が行われた。

　日本語を強制することを正当化するためには、日本語の優秀さを裏付ける日本語の特徴が必要だった。この目的のために最大限利用されたのが「女ことば」だ。「女ことば」を日本語の伝統や、他の言語には見られない日本語の特徴にすれば、日本語の優秀さを裏付ける一つの具体例にすることができる。この時期「女ことば」を日本語の伝統にしたり、日本語の長所だと主張する言説が発生した理由のひとつは、日本の植民地支配を正当化するためだったのではないか。

この例は、あるメタ語用論的言説が発生し、社会に広く行き渡る背景には、その時代の政治的・経済的な理由があることを示している。「女ことば」をつくってきたのは、ここで挙げた、新聞の投書や翻訳、そして、辞書の定義などの「女性の話し方について語ることば」と翻訳や小説、ドラマにみられる「フィクションの会話」、つまり、メタ語用論的言説である。

中村（二〇一二）では、女性のことばが、明治時代には二流国民のことばとして国語から排除されていたのに、昭和の戦争中には「日本語の伝統」として植民地政策に利用され、さらに、戦後も引き続き、「日本語の伝統」として敗戦で失った日本人の誇りを取り戻すために利用されたことを示している。

「女ことば」とは、女性が使ってきた言葉づかいではなく、その時々の日本の歴史や政治の中で、人々が「女性」に望むすがたを、ことばの側面から女性に押し付けてきた「概念（イデオロギー）」なのだ。

概念としての「女ことば」は、以下に見るように、ジェンダーにかかわらずだれもが使えるアイデンティティ表現の材料として利用される。アイデンティティ表現の材料として利用されるようになった「女ことば」は、「方言」と同じように、女性が使っている言葉づかいとは違うものになっている。私たちは、概念としての「女ことば」と実際に女性が話している言葉づかいは別物であることを忘れてはいけない。

## 4　女性の言葉づかいの規範としての「女ことば」

敗戦後の民主化と経済成長を経たあとも、引き続き、概念としての「女ことば」は、二つの主要な働きを担っている。ひとつは、女性が使うべき言葉づかいの規範としての「女ことば」。もうひとつは、男女にかかわらず、だれもが使えるアイデンティティ表現の材料としての「女ことば」である。規範の働きから見ていこう。

あなたは、「女の子なんだから、もっと丁寧な言葉づかいをしなさい」と言われたことはないだろうか。講演会などで、この質問をすると、「女ことば」とは無縁の言葉づかいをしている若い世代の女性でも、「言われたことがある」と答える人がいる。

これは、「女ことば」と「男ことば」の大きな違いのひとつだ。なぜならば、男子は、「男の子なんだから、もっと乱暴な言葉づかいをしなさい」と言われることはないからだ。

その理由は、「女ことば」にだけ、規範、つまり、従うべきルールとしての側面があるからだ。

女性が使うことばを制限しようという動きは、鎌倉時代から現代まである、いわゆるエチケット本に見られる。エチケット本も、女性の言葉づかいについて語る、重要なメタ語用論的言説だ。

私が調べたところによると、鎌倉時代から江戸時代までのエチケット本には、「女は話すな」と書いてある。女のおしゃべりは国を亡ぼすそうだ（中村二〇〇七）。残念ながら、先に挙げた新聞記事が指摘しているように、ツイッターで意見を述べた女性に「黙ってろブス」と中傷する人がいる現代も、大して変わりない。

明治時代になると、「話してもいいが、ひかえめに、丁寧に、柔らかく話せ」となる。福沢諭吉も明治三二（一八九九）年の『女大学評論・新女大学』で、教育の進歩とともに、女性が女らしくないことを話したり、ひどい時には、むずかしい学問のことばを使って平気なのは、自分を知らない浅はかな罪で、憐れむしかない、と言っている。『学問のすすめ』で学問をすることをすすめたのに、女性は勉強したことを議論してはいけないらしい。

これが現代のエチケット本になると、「愛される話し方」や「賢い女の話し方」のように、「女ことば」が〈愛される女らしさ〉や〈賢く見える女らしさ〉に結び付けられていく。興味深いのは、男性読者を対象にしたエチケット本には、「愛される話し方」という視点が皆無な点だ。女性は話し方で愛されたり愛されなかったりするが、男性は関係ないらしい。

どうやら日本では、〈女らしさ〉が言葉づかいに表現されることを期待する傾向が強いらしい。その結果、女性が何を話しているのかよりも、どのように話すかに注意が向く。

**内田裕也を動かした蓮舫の話し方**

二〇〇九年一一月に行われた事業仕分けでは、官僚と激しいやりとりをした蓮舫《れんほう》議員が注目を浴びた。最終日、一般にも公開された会場に意外な人物が現れた。七〇歳（当時）のロック・ミュージシャン、内田裕也《ゆうや》だ。彼はなぜ来たのか、新聞も取り上げた。

内田は「前半戦をテレビで見て『蓮舫ちゃん、おっかねえな』『物の言い方が失礼だな』とカチンと来てな。（中略）」と傍聴理由を説明。しかし、この日の蓮舫氏については「おしとやかだったな。声もかれてかわいそうな感じだったな」と、感想を話した。

（『日刊スポーツ』二〇〇九年一一月二八日、電子版）

内田がわざわざ会場に足を運んだのは、蓮舫の発言内容ではなく「物の言い方」に「カチンと来た」からだ。そして、当日の蓮舫を「おしとやかだ」と感じたのも、蓮舫が官僚を攻撃しなかったからではなく、「声もかれてかわいそうな感じだった」からだ。女性の発言は、その内容よりも、丁寧で女らしい（おしとやか）かどうかで評価されるのだ。

ここで蓮舫は、自分の話し方に対する批判があることを知って、内田が会場に来た最終日に話し方を変更した可能性がある。このような対応は、いろいろに解釈することができる。

ひとつは、内田のように「女性は女らしい話し方をするべきだ」と考える人の規範を受け入れて、それに従った、という解釈だ。これは受験や就職の面接のように、権力関係が明白な場面で、規範に従った話し方をするような場合に近い。もうひとつは、規範を材料として利用することで、〈おしとやかな女性〉というアイデンティティを表現したという解釈だ。こちらは、好きな人に「女らしい女性だ」と思ってほしくて、意識して規範に従った話し方をするような場合に近い。

しかし、この二つの解釈、つまり、話し手が規範を強要されているのか、それとも、利用しているのかは、話し手の意識に関わってくるので、区別するのが難しい。受験や就職の面接の場合も、規範に従った話し方をした方が合格すると考えて、規範を利用しているとみなすことも可能だ。

いずれにしても、女性の発言は内容よりも「話し方」で評価される傾向が強いので、女らしい話し方の規範は、女性の発言を制限したり、女性が女らしさを表現するときに利用することで、現在でも女性の言葉づかいにさまざまな程度で影響を与えているのである。

## 5 攻撃的な「女ことば」・オネエことば

もうひとつの「女ことば」の働きは、アイデンティティ表現の材料としての働きだ。以下では、攻撃する「女ことば」と「オネエことば」という二つの例を挙げる。

### 主張や怒りを表現する「女ことば」

先に、「女ことば」の文末詞、「わ、の、よ」は、〈ひかえめ〉〈丁寧〉〈柔らかい〉などの意味と結び付いていることを見た。しかし、全く同じ文末詞が、高飛車な態度や怒りなどの攻撃的な発言に使われることが、特にマンガ研究で指摘されている(中村二〇一三)。

マンガに登場する女性の中には、普段は「女ことば」を使わないのに、攻撃的な発言をするときに、丁寧で女らしい言葉づかいをする人がいる。

図 7-1　普段のジャンヌの言葉づかい

たとえば、少女マンガの金字塔『ベルサイユのばら』（池田理代子一九七二―一九七三）に登場する「ジャンヌ」。母妹と貧しい暮らしをしているが、いつか貴族になってやろうと考えている少女だ。ジャンヌの普段の会話は、次のような言葉づかいだ（図7-1）。

「かあさん！　みんながベルサイユへ　でかけていくよ！（中略）でっかい花火《はなび》も　あがるんだってさ！」
（『ベルサイユのばら』一巻、集英社文庫、五八頁）

そうよ！
このまま
こんな……
こんな
ブタ小屋《ごや》みたいな
きたならしい
うす暗《ぐら》いところで
終《お》わってたまるもんか！
いやなこと！
わたしはこんな
はきだめのうすぎたない
やつらみたいには
ならないんだわ！

図7-2　野心をつぶやくときのジャンヌの言葉づかい

ところが、ジャンヌがその野心や悪意を独白する時には、次のようになる（図7-2）。

「いやなこと！　わたしはこんな　はきだめのうすぎたない　やつらみたいには　ならないんだわ！」

（同前、六〇頁）

ていねいなはずの「女ことば」の文末詞「だわ」を使っている。そして、このように、主張、嫉妬、怒り、悪意を表現する攻撃的な発言に女ことばを用いる傾向は、現代のマンガにも継承されている。

たとえば、『ライフ』（すえのぶけいこ二〇〇二―二〇〇九）で、ヒロインをいじめる少女愛海《まなみ》。みんなの前では、「たったそれだけのことでマナが犯人だって言うの……？」（『ライフ』九巻、講談社、一三四頁）と、かよわい被害者としてふるまう。しかし、ヒロインと二人だけの時には、「言いがかりは　やめてくれる？」「迷惑だわ」（同前、一三〇—一三一頁）と、「女ことば」を使ってぞっとするような脅しをかける。

漫画家は、どのような効果を狙って、女性登場人物に女ことばで攻撃的な発言をさせるのか。その効果は読み手によってさまざまだろうが、マンガの言葉づかいを研究している因京子《ちなみきょうこ》は、以下のような効果をあげている。

これらの例は、やさしさどころか、鋭い攻撃性を感じさせる。適切だと思われる程度以上に丁寧な表現が、その過剰さ（有標性）によって意味が翻《ひるがえ》り、直接的攻撃よりも鋭い攻撃性を帯びることになっているのである。「慇懃《いんぎん》無礼《ぶれい》」な嫌みが直接的な悪口雑言以上に辛辣《しんらつ》であることは、経験上誰でも知っている。

（因二〇一〇：八〇）

つまり、攻撃的な内容を、あえて〈ひかえめ〉〈丁寧〉〈柔らかい〉という意味と結び付いている「女ことば」の文末詞と組み合わせて使うことで、より攻撃的にする効果があるというのだ。「女ことば」の文末詞が攻撃的な内容と組み合わせて使われることが増えれば、これらの文末詞の意味も変化していく可能性がある。

さらに因（二〇一〇）は、「女ことば」のこのような使い方は、「女ことば」と〈ひかえめで、丁寧で、柔らかい女らしさ〉を短絡的に結び付ける固定観念にゆさぶりをかけると指摘している。このようなゆさぶりは、「女ことば」と〈ひかえめで、丁寧で、柔らかい女らしさ〉の結び付きには、確固とした理由があるわけではないことをあばいてしまう。

つまり、本章の最初で述べた「女性はみんな〈ひかえめで、丁寧で、柔らかい女らしさ〉を持っていて、この〈女らしさ〉を表現した言葉づかいが女ことばだ」というストーリーが、誤りであることをあばいてしまうのだ。

このゆさぶりは、次の「オネエことば」の効果を考える上でも非常に参考になる。

## オネエことば

「オネエことば」は、ゲイ（男性同性愛者）やトランスジェンダーなどの話し手が、女性のようになったので「女ことば」を使っているとみなされることが多い。

しかし、繰り返し主張しているように、本書では、このように話し手は特定のアイデンティティを先に持っていて、そのアイデンティティにもとづいてことばを使うという本質主義の立場はとらない。この場合で言うと、ゲイやMtFトランスジェンダー（男性から女性にジェンダーを越境した人）というアイデンティティにもとづいて、女性になりたいから「オネエことば」を使うという解釈はしない。

むしろ、どの話し手も、いろいろな話し方を使い分けることで、その時々に表現したいアイデンティティを作り上げるという構築主義の考え方をとっている。「オネエことば」も、特定の効果を表現するために、「女ことば」の言語要素をアイデンティティ表現の材料として用いている例のひとつだ。

このような解釈は、ゲイやトランスジェンダーの話し手でも、「オネエことば」に対する意識はさまざまだという事実に合致している。LGBTタウンとして知られる新宿二丁目で初めて「オネエことば」を聞いた時に自分にぴったりだと思った人もいれば、「オネエことばは使わない」という人もいる。限られた友人の間では使うこともあるが、職場や家庭では使わないという人もいる。

また、「オネエことば」は「女ことば」とは違う。「女ことば」の言語要素を用いたとしても、語尾を伸ばしたり、その部分を強調するイントネーションやジェスチャーに特徴付けられることが指摘されている。

さらに、ゲイやトランスジェンダーの話し手は、常に〈ゲイ〉や〈トランスジェンダー〉というアイデンティティを表現しているわけではない。第1章でも確認したように、アイデンティティにはさまざまな側面があり、セクシュアリティやジェンダーに関わる側面は、そのひとつに過ぎない。ゲイやトランスジェンダーの話し手の言葉づかいを、常に〈ゲイ〉や〈トランスジェンダー〉というアイデンティティと結び付けて解釈するのは、問題が多い。

事実、永六輔《ろくすけ》や尾木ママ（尾木直樹）など、ゲイやトランスジェンダーでなくても、女っぽい話し方をする有名人はいる。二〇一三、二〇二〇年放送のテレビドラマ『半沢直樹』では、国税庁の検査官「黒崎駿一」のオネエことばが、よく知られている。これらの話し手が、女のような話し方をしていたとしても、〈女〉になろうとしているわけではない。

## 「女ことば」のパロディとしてのオネエタレントことば

「オネエことば」が、特定の効果を表現するために、「女ことば」の言語要素を用いる言葉づかいだとしたら、その「特定の効果」を知るひとつの例が、オネエタレントの使う「オネエことば」だ。

オネエタレントの「オネエことば」は、自分のアイデンティティを演出するパフォーマンスとして行われるという点で、日常会話における「オネエことば」とは区別されるべきものだ（マリイ二〇一三）。

メイナード（二〇一七）は、コラムニストやエッセイスト、女装タレントとして活躍しているマツコ・デラックスの言葉づかいを分析し、マツコは、「女ことば」の言語要素だけではなく、さまざまなことばを使って、複雑なアイデンティティを表現していることを明らかにしている。
マツコの「オネエことば」には、いろいろな魅力があるが、そのひとつは、辛口な発言だ。たとえば、二〇一四年二月放送の「テレフォンショッキング」にマツコが登場したときの会話が次だ。

タモリ：どうぞ、どうぞ、おかけください。
客席：オー。
マツコ：何が「オー」なの？
客席：〈拍手〉
マツコ：何が「オー」なのよ。
タモリ：初めてですね、あのワーとかいう歓声はあるんですけどオーとかいう。
（メイナード二〇一七：二〇六）

マツコがテレビスタジオに登場すると、スタジオ内の観客が「オー」と言う。すると、マツコは、「何が「オー」なの?」と聞き、さらに観客が「オー」と繰り返すと、「何が「オー」なのよ」と観客に挑戦している。

マツコの辛口な発言は、先に挙げた、マンガに登場する女性の攻撃的な発言に似ている。「何が「オー」なんだ」という挑発的な内容と、「の」や「のよ」のような女ことばの文末詞を組み合わせて使っているからだ。

先に、マンガに登場する女性の「女ことば」による攻撃的な発言は、「女ことば」と〈ひかえめで、丁寧で、柔らかい女らしさ〉を短絡的に結び付ける固定観念にゆさぶりをかけると指摘した。オネエタレントの「オネエことば」の場合は、このゆさぶりがさらに激しくなる。なぜならば、観客はオネエタレントが、「女ことば」を使うと考えられている「女性」とは違うことを知っているからだ。

これは、第6章でも言及した、「パフォーマンスのための越境」だ。「パフォーマンスのための越境」の典型例はパロディーだ。パロディーは、話し手が、本来その言葉づかいをするべき人物ではないことをあからさまに示して、にせものであることを強調する。「にせもの」が使う「女ことば」は、「女だから女ことばを使う」という固定観念をくつがえす。

本章の最初で、「女ことば」という概念には、「女性はみんな〈女らしさ〉を持っている」という考え方を正当化するという大問題があることを指摘した。しかし、オネエタレントの「オネエことば」には、女性と〈女らしさ〉の結び付きがつくられたものであることをあばく力があるのだ。

一方で、多くのテレビ番組は、テロップや音楽、他の出演者の笑いやコメントを使って、「オネエことば」を、あくまで、「女になれない人たちのあがき」と位置付ける（マリイ二〇一三）。このような演出は、オネエタレントが使う「女ことば」を例外にすることで、女性と〈女らしさ〉と「女ことば」の結び付きを当たり前のものにする働きをしている。

オネエタレントをフィーチャーしている点で先進的に見えるテレビ番組でも、ジェンダーによって男女を正反対に区別することにこだわる。第3章で指摘したように、「女らしさ」と「男らしさ」を正反対に設定しておくことが、異性愛規範を正当化する大前提だからだ。

## なぜ「オニイことば」はないのか

「女らしさ」と「男らしさ」の正反対化は、「オネエことば」や「女ことば」など、ジェンダーにかかわる言葉づかいに対する私たちの認識にも、影響を与えている。

そのひとつが、ゲイの言葉づかいを総称する呼び名（「オネエことば」）はあるのに、レズビアンの言葉づかいを総称する呼び名はないという事実だ。

これは、日本をはじめとして、ほとんどの社会では、「男らしさ」が人間の標準で、「女らしさ」は例外だと考えられていることに起因している。だから、「中学生」とは別に、「女子中学生」ということばが必要になる。

「男らしさ」が人間の標準で、「女らしさ」は例外だと考えられているために、「女らしさ」と「男らしさ」のあいだの越境は、対称的には行われない。標準である「男らしさ」から例外である「女らしさ」へ越境する方が、逆の場合よりも目立つ。ドレスを着た男性の方が、ズボンをはいた女性よりも目立つのだ。

「女ことば」を話す男性の方が、「男ことば」を話す女性よりも目立つ。レズビアンがジェンダーの越境を言葉づかいで表現するには、相当乱暴な「男ことば」を使いつづけなければならない。だから、「オネエことば」という呼び名はあるが、「オニイことば」はないのだ（カメロン&クーリック二〇〇九：一八七）。

第4章で私たちは、「〇〇ことば」が成立するためには、ただ使っているだけでは不十分で、「〇〇ことば」と結び付けられた集団を他から区別する理由が必要であることを見た。これまでは、「〇〇ことば」を成立させてきた、専門家や識者のことば、そしてメディアのセリフなどのメタ語用論的言説を見てきた。「オニイことば」の不在は、これらに加えて、集団の言葉づかいが認識されない背景には、「男らしさ」を標準とみなし、「女らしさ」を例外とみなすジェンダーの構造的な不平等があることを示している。

本章では、「女ことば」という、女性を〈ひかえめで、丁寧で、柔らかい女らしさ〉と結び付けようとする言語資源でさえ、私たちは、その規範を利用したり、また、全く反対の意味を表現するために用いていることを見てきた。

このような制限から生まれた創造的なアイデンティティの表現は、これまでの章で見てきた「敬語」や「方言」と同様に、「女ことば」も変化させていくだろう。そして、言葉づかいに見られるこのような変化は、社会の人間関係も変革していく可能性がある。

# おわりに

筑摩書房の方便凌さんから、若い読者に向けて社会言語学の入門書を書いてみないかと声を掛けていただき、すぐに、分かりやすくて楽しい本にしようと決めた。まずは、「シロ」という名前の黒い犬の話を入れようと思った。学生が必ず笑ってくれるネタだからだ。

これ以外にも、笑えるエピソードや具体例をてんこ盛りにしたつもりだ。おかげさまで、書いている私は楽しかった。授業と同じで、時々滑っているかもしれないが、読んでくださる読者にも楽しんでいただけたらうれしい。

方便凌さんには、自由に書かせていただき感謝申し上げたい。ありがとうございました。

最後に、読者の皆さんには入門書の宿命についてお伝えしたい。「分かりやすい」説明には、必ず、分かりやすさからこぼれ落ちてしまう真実がある。それは、読んでいたときにみなさんが「あれ？」とか「うん、でも」と感じたところだ。

みなさんが「あれ？」と感じられるのは、毎日「ことば」を使っているからだ。どうか、その違和感を大事にしてほしい。

違和感の答えは、友達と話したり、他の本を読むと見つけられるかもしれない。参考文献に挙げてある本でもいい。それ以外にも、本書で触れることができなかった素晴らしい研究がたくさんある。

本書を読み終わったみなさんは、「ことばの遊園地」の入場門をくぐって、園内マップを渡してもらったところだ。本書は、いわば、遊園地の地図だ。地図には、「名前の国」「呼称の国」「敬語の国」「方言の国」「女ことばの国」など、いろんな国がのっている。

それぞれの国には、地図には書いてない宝物があるかもしれない。どこに、どんな楽しいものが待っているのか、早く中に入ってみたくないですか？

ようこそ「ことばの遊園地」へ！


二〇二一年二月、それでも梅がほころび始めた横浜にて

中村桃子

# 参考文献

アンダーソン、ベネディクト（二〇〇七）白石隆、白石さや訳『定本 想像の共同体――ナショナリズムの起源と流行』書籍工房早山
池上嘉彦（一九八四）『記号論への招待』岩波新書
上川あや（二〇〇七）『変えてゆく勇気――「性同一性障害」の私から』岩波新書
カメロン、デボラ&クーリック、ドン（二〇〇九）中村桃子他訳『ことばとセクシュアリティ』三元社
唐澤富太郎（一九五八）『日本の女子学生――三代女子学生の青春譜』講談社
ギデンズ、アンソニー（二〇〇五）秋吉美都・安藤太郎・筒井淳也訳『モダニティと自己アイデンティティ――後期近代における自己と社会』ハーベスト社
熊谷滋子（二〇一一）「受難曲『東北方言』――井上ひさしに捧ぐ」『市民の科学』第三号、六八―七九頁
小山静子（一九九一）『良妻賢母という規範』勁草書房
桜井隆（二〇〇一）「テレビゲームの中の女性のことば」遠藤織枝編『女とことば――女は変わったか　日本語は変わったか』二〇八―二一六、明石書店

田中ゆかり（二〇一一）『「方言コスプレ」の時代――ニセ関西弁から龍馬語まで』岩波書店
谷川流（二〇〇三）『涼宮ハルヒの憂鬱』角川書店
因京子（二〇一〇）「マンガ――ジェンダー表現の多様な意味」中村桃子編『ジェンダーで学ぶ言語学』七三―八七頁、世界思想社
中村桃子（一九九二）『婚姻改姓・夫婦同姓のおとし穴』勁草書房
中村桃子（二〇〇七）『「女ことば」はつくられる』ひつじ書房
中村桃子（二〇一二）『女ことばと日本語』岩波新書
中村桃子（二〇一三）『翻訳がつくる日本語――ヒロインは「女ことば」を話し続ける』白澤社
中村桃子（二〇二〇）『新敬語「マジヤバイっす」――社会言語学の視点から』白澤社
二宮周平（二〇〇七）『家族と法――個人化と多様化の中で』岩波新書
橋本治（一九八四）『花咲く乙女たちのキンピラゴボウ』河出書房新社
バトラー、ジュディス（一九九九）竹村和子訳『ジェンダー・トラブル――フェミニズムとアイデンティティの攪乱』青土社
久武綾子（一九八八）『氏と戸籍の女性史――わが国における変遷と諸外国との比較』世界思想社
平野啓一郎（二〇一二）『私とは何か――「個人」から「分人」へ』講談社現代新書
平野広朗（一九九四）『アンチ・ヘテロセクシズム』パンドラ

フーコー、ミシェル（一九八一）中村雄二郎訳『知の考古学』河出書房新社
ブルデュー、ピエール（二〇一二）立花英裕訳『国家貴族――エリート教育と支配階級の再生産』（Ⅰ・Ⅱ）藤原書店
文化審議会（二〇〇七）『敬語の指針』
http://www.bunka.go.jp/seisaku/bunkashingikai/sokai/sokai_6/pdf/keigo_tousin.pdf
文化庁（一九九六）『国語審議会報告書20』文化庁
文化庁（二〇〇〇）『国語審議会答申　現代社会における敬意表現』文化庁
https://www.bunka.go.jp/kokugo_nihongo/sisaku/joho/joho/kakuki/22/tosin02/13.html
外間守善（一九八一）『日本語の世界9　沖縄の言葉』中央公論社
ホブズボウム、エリック&レンジャー、テレンス（一九九二）前川啓治、梶原景昭他訳『創られた伝統』紀伊國屋書店
本田透（二〇〇五）『萌える男』ちくま新書
マリィ、クレア（二〇一三）『「おネエことば」論』青土社
水本光美（二〇一〇）「テレビドラマ――〝ドラマ語〟としての「女ことば」」、中村桃子編『ジェンダーで学ぶ言語学』八九―一〇六頁、世界思想社
メイナード、泉子・K（二〇一七）『話者の言語哲学――日本語文化を彩るバリエーションとキャラクター』くろしお出版

ロング、ダニエル・朝日祥之（一九九九）「翻訳と方言――映画の吹き替え翻訳に見られる日米の方言観」『日本語学』一八巻、第三号、六六―七七頁

Agha, Asif. 2003. Social Life of Cultural Value. *Language & Communication* 23: 231–273.

Bucholtz, Mary and Qiuana Lopez. 2011. Performing Blackness, Forming Whiteness: Linguistic Minstrelsy in Hollywood Film. *Journal of Sociolinguistics* 15 (5): 680–706.

Cook, M. Haruko. 2021. Referential and Non-referential (Im) politeness: The Trainers Speech in a New Employee Orientation in a Japanese Company. *East Asian Pragmatics*, 6 (1): 109–134.

Eckert, Penelope. 2000. *Linguistic Variation as Social Practice: The Linguistic Construction of Identity in Belten High*. Massachusetts and Oxford: Blackwell.

Eckert, Penelope. 2001. Demystifying Sexuality and Desire. In Kathryn Campbell-Kibler, Robert J. Podesva, Sarah J. Roberts, and Andrew Wong (eds.), *Language and Sexuality: Contesting Meaning in Theory and Practice*, 99–110. Stanford, CA: CSLI Publications.

Hiramoto, Mie. 2009. Slaves Speak Pseudo-Toohoku-*ben*: The Representation of Minorities in the Japanese Translation of *Gone with the Wind*. Journal of Sociolinguistics 13 (2): 249–263.

Johnstone, Barbara. 2009. Pittsburghese Shirts: Commodification and the Enregisteration of an

Urban Dialect. *American Speech* 84: 157–175.

Johnstone, Barbara, Jennifer Andrus, and Andrew E. Danielson. 2006. Mobility, Indexicality, and the Enregisterment of "Pittsburghese." *Journal of English Linguistics* 34 (2): 77–104.

Lippi-Green, Rosina. 1997. *English with an Accent: Language, Ideology and Discrimination in the United States*. London and New York: Routledge.

Ochs, Elinor. 1992. Indexing Gender. In Duranti Alessandro and Charles Goodwin (eds.), *Rethinking Context: Language as an Interactive Phenomenon*, 335–358. Cambridge: Cambridge University Press.

Okamoto, Shigeko and Janet S. Shibamoto-Smith. 2016. *The Social Life of the Japanese Language: Cultural Discourse and Situated Practice*. Cambridge: Cambridge University Press.

Silverstein, Michael. 2003. Indexical Order and the Dialectics of Sociolinguistic Life. *Language & Communication* 23: 193–229.

Woolard, Kathryn A. and Bambi B. Schieffelin. 1994. Language Ideology. *Annual Review of Anthropology* 23: 55–82.

## ちくまプリマー新書

027 世にも美しい日本語入門　安野光雅　藤原正彦

七五調のリズムから高度なユーモアまで、古典と呼ばれる文学作品には、美しく豊かな日本語があふれている。若い頃から名文に親しむ事の大切さを、熱く語り合う。

323 中高生からの 日本語の歴史　倉島節尚

言葉は人々の暮らしや文化を映し出す鏡です。日本語という謎に満ちた言語は、どのようにして私たちが今日知るような形になったのか。その全体像を明かします。

199 漢字からみた日本語の歴史　今野真二

日本語の歴史とは、漢字の両側に、中国語と日本語が緊張関係を保ちながら形成してきた歴史。漢字という乗り物に乗って、日本語の豊かさを探る旅に出かけよう。

369 高校生からの韓国語入門　稲川右樹

ハングル、発音、文法、単語、豆知識……Twitterでも人気の「ゆうき」先生がイラストをまじえてわかりやすく解説。始めるなら、まずはこの1冊から！

349 伊藤若冲――【よみがえる天才1】　辻惟雄

私は理解されるまでに一〇〇〇年の時を待つ――江戸の鬼才が遺したこの言葉が秘める謎に、最新の研究と迫力のカラー図版で迫る、妖しくも美しい美術案内。

## ちくまプリマー新書

350 レオナルド・ダ・ヴィンチ
——【よみがえる天才2】
池上英洋
家族にも教育の機会にも恵まれず、コンプレックスだらけだった五〇〇年前の一人の青年が、なぜ名画を遺し、近代文明の夢を描く「天才」と呼ばれるに至ったか。

358 モーツァルト
——【よみがえる天才3】
岡田暁生
完璧なる優美、子どもの無垢、美の残酷と壊れたような狂気、楽しさと同居する寂しさ——モーツァルトとはいったい何者だったのか？　天才の真実を解き明かす。

362 アレクサンドロス大王
——【よみがえる天才4】
澤田典子
前人未到の大征服を成し遂げ、三二歳の若さで世を去ったアレクサンドロス。時には「英雄」として、時には「暴君」として描かれる「偉大なる王」の実像に迫る。

364 コペルニクス
——【よみがえる天才5】
高橋憲一
長く天文学の伝統であった天動説を否定し、地動説を唱えたコペルニクスによって、近代科学は大きな一歩を踏み出した。どのように太陽中心説を思いついたのか。

370 ガウディ
——【よみがえる天才6】
鳥居徳敏
歴史や自然に学び、幾何学を駆使してたどり着いた独特の建築様式は今なお新鮮だ。サグラダ・ファミリア聖堂やグエル公園はどのようにして生まれたのか。

## ちくまプリマー新書

276
はじめての哲学的思考
苫野一徳
哲学は物事の本質を見極める、力強い思考法を生み出してきた。誰もが納得できる考えに到達するためのその思考法のエッセンスを、初学者にも理解できるよう伝える。

308
幸福とは何か
――思考実験で学ぶ倫理学入門
森村進
幸福とは何か。私たちは何のために生きているのか――誰もが一度は心をつかまれるこの問題を、たくさんの思考実験を通して考えよう。思考力を鍛える練習問題つき。

238
おとなになるってどんなこと？
吉本ばなな
勉強しなくちゃダメ？ 普通って？ 生きることに意味はあるの？ 死ぬとどうなるの？ 人生について、生まれてきた目的について吉本ばななさんからのメッセージ。

344
日本史でたどるニッポン
本郷和人
日本はひとつの民族が、ひとつの言語を使い、ひとつの国家を形成して長い歴史があると習う。けれどもそれは本当だろうか？ どのように今の日本になったのか。

002
先生はえらい
内田樹
「先生はえらい」のです。たとえ何ひとつ教えてくれなくても。「えらい」と思いさえすれば学びの道はひらかれる。――だれもが幸福になれる、常識やぶりの教育論。

# ちくまプリマー新書

064
民主主義という不思議な仕組み
佐々木毅
誰もがあたりまえだと思っている民主主義。それは、本当にいいものなのだろうか？　この制度の成立過程を振り返りながら、私たちと政治との関係について考える。

366
紛争解決ってなんだろう
篠田英朗
世界で紛争はどのように解決されているのか。英米の大学で体系的に教えられている「紛争解決論」の世界水準の議論を、気鋭の国際政治学者がわかりやすく伝える。

031
病魔という悪の物語
――チフスのメアリー
金森修
20世紀初め、毒を撒き散らす悪女として恐れられた患者の実話。エイズ、鳥インフルエンザなど、伝染病の恐怖におびえる現代人にも、多くの問いを投げかけている。

079
友だち幻想
――人と人の〈つながり〉を考える
菅野仁
「みんな仲良く」という理念、「私を丸ごと受け入れてくれる人がきっといる」という幻想の中に真の親しさは得られない。人間関係を根本から見直す、実用的社会学の本。

336
ダイエット幻想
――やせること、愛されること
磯野真穂
モテたい、選ばれたい、認められたい……。ダイエットの動機は様々だけど、その強い思いで生きづらくなっていませんか？　食べると生きるをいま見つめなおそう！

**ちくまプリマー新書**

136 高校生からのゲーム理論 松井彰彦
ゲーム理論とは人と人とのつながりに根ざした学問である――環境問題、いじめ、三国志など多様なテーマからその本質に迫る、ゲーム理論的に考えるための入門書。

359 社会を知るためには 筒井淳也
なぜ先行きが見えないのか？　複雑に絡み合う社会を理解するのは難しいため、様々なリスクをうけいれざるを得ない。その社会の特徴に向き合うための最初の一冊。

354 公務員という仕事 村木厚子
時に不祥事やミスなどから批判の対象になる公務員だが、地道に社会を支えつつ同時に変化を促す素晴らしい仕事だ。豊富な経験を元に、その醍醐味を伝える。

201 看護師という生き方 宮子あずさ
看護師という仕事は、働く人の人間性に強く働きかけ、特有の人生を歩ませる。長く勤めるほど味わいが増すこの仕事の魅力に職歴二六年の現役ナースが迫る。

156 女子校育ち 辛酸なめ子
女子100％の濃密ワールドの洗礼を受けた彼女たちは、卒業後も独特のオーラを発し続ける。文化祭や同窓会潜入も交え、知られざる生態が明らかに。ＬＯＶＥ女子校！

## ちくまプリマー新書

363
### 他者を感じる社会学
——差別から考える
好井裕明
他者を理解しつながろうとする中で、生じる摩擦熱のようなものが「差別」の正体だ。「いけない」と断じて終えるのでなく、その内実をつぶさに見つめてみよう。

367
### 地方を生きる
小松理虔
いま地方にこそ可能性が広がっている。これまでと違った視点でみれば、新たな魅力と課題が浮かんでくる。仕事、暮らし、苦労などローカルな生き方をお伝えします。

368
### 値段がわかれば社会がわかる
——はじめての経済学
徳田賢二
私たちの社会生活において「経済」の占める場所は大きい。そのしくみはどのようなものか。生産から消費まで、「値段」を手がかりに解き明かした経済学入門。

011
### 世にも美しい数学入門
藤原正彦
小川洋子
数学者は、「数学は、ただ圧倒的に美しいものです」とはっきり言い切る。作家は、想像力に裏打ちされた鋭い質問によって、美しさの核心に迫っていく。

347
### 科学の最前線を切りひらく！
川端裕人
複雑化する世界において、科学は何を解明できるのか？古生物、恐竜、雲、サメ、マイクロプラスチック、脳など各分野をリードする六名の科学者が鋭く切り込む。

## ちくまプリマー新書

273 人はなぜ物語を求めるのか　千野帽子

人は人生に起こる様々なことに意味付けし物語として認識することなしには生きられません。それはどうしてなのか？　その仕組みは何だろうか？

326 物語は人生を救うのか　千野帽子

世界を解釈し理解するためにストーリーがあった方が、人は幸福だったり、生きやすかったりします。私たちの周りに溢れているストーリーとは何？

106 多読術　松岡正剛

読書の楽しみを知れば、自然と多くの本が読めます。著者の読書遍歴をふりかえり日頃の読書の方法を紹介。さまざまな本を交えながら、多読のコツを伝授します。

365 西洋美術とレイシズム　岡田温司

聖書に登場する呪われた人、迫害された人を、美術はどのように描いてきたか。二〇〇〇年に及ぶ歴史の中で培われてきた人種差別のイメージを考える。

343 どこからが病気なの？　市原真

病気と平気の線引きはどこにあるのか？　病気のアラームとは何か？　かぜと肺炎はどう違う？　人体と病気の仕組みについて病理医ヤンデル先生がやさしく解説。

chikuma primer shinsho

ちくまプリマー新書374
「自分《じぶん》らしさ」と日本語《にほんご》

二〇二一年五月十日　初版第一刷発行
二〇二三年五月十五日　初版第三刷発行

著者　中村桃子（なかむら・ももこ）
装幀　クラフト・エヴィング商會
発行者　喜入冬子
発行所　株式会社筑摩書房
東京都台東区蔵前二―五―三　〒一一一―八七五五
電話番号　〇三―五六八七―二六〇一（代表）
印刷・製本　株式会社精興社

ISBN978-4-480-68400-4 C0281　Printed in Japan